Detlef Ax

"Verwundete Männer"

Zu vaterloser Kultur und männlicher Identität in den westlichen Industriestaaten

Titelphotographie: Nana Ziesche, Hamburg

Detlef Ax

"VERWUNDETE MÄNNER"

Zu vaterloser Kultur und männlicher Identität
in den westlichen Industriestaaten

ibidem-Verlag
Stuttgart

Die Deutsche Bibliothek - CIP-Einheitsaufnahme:

Ein Titeldatensatz für diese Publikation ist bei
Der Deutschen Bibliothek erhältlich

∞

Gedruckt auf alterungsbeständigem, säurefreien Papier
Printed on acid-free paper

ISBN: 3-89821-041-3
© *ibidem*-Verlag
Stuttgart 2000
Alle Rechte vorbehalten

Printed in Germany

Ich bedanke mich herzlich bei folgenden Personen für ihre Anregungen und ihre Kritik beim Lesen von Teilen der Rohfassung dieses Buches (alphabetisch):

Angelika Olsson (Hamburg)
Elke Hoyer (Bremen)
Gunnar Heinsohn (Bremen)
Gunnar Rohde (Bremen)
Helmut Jung (Hamburg)
Marc Gärtner (Bremen)
Rita Wolf (Hamburg)
Ronald Ax (Hamburg)
Sabina Westermann (Verden)
Sebastian Mewes (Hamburg)

Inhaltsverzeichnis

Einleitung

Die Motivation für diese Arbeit ist mein Interesse am Geschlechterverhältnis, an der Geschlechterforschung und insbesondere an den Männerthemen. Seit acht Jahren gehört dies zu meinen Arbeitsschwerpunkten. Wie bei keinem anderen Thema sind hierbei für mich alle Unterthemen (z.B. Interaktion, Arbeitsteilung u. a.) immer wieder spannend und voller neuer Erkenntnisse.

Dabei beschäftigen mich besonders die für mich zentralen und zusammenhängenden Problemstellungen der Männer, nämlich "Vatermangel" und die unvollständige Ablösung von der Mutter. Ich werde darlegen, daß sich viele Schwierigkeiten im Männerleben darauf zurückführen lassen. Diesen schon lange bestehenden Vatermangel bezeichne ich als "vaterlose Kultur" oder auch als "(tendenzielle) Vaterlosigkeit".

Es scheint einigen zunächst vielleicht unverständlich, weshalb hier von vaterloser Kultur die Rede ist, wo doch im öffentlichen Bereich und in der Berufsarbeit ein Machtüberhang von Männern besteht. Im Zusammenhang damit besteht jedoch eine (tendenzielle) Abwesenheit bzw. wenig Einfluß von Vätern in Familie und Erziehung.

Daran anschließend werde ich zeigen, daß diese vaterlose Kultur immer weiter zugenommen hat und viele fatale Auswirkungen zeigt.

Dafür unterteile ich das Buch in drei Abschnitte:

- Als erstes erfolgt ein geschichtlicher Rückblick zum Funktionswandel von Vaterschaft,
- im zweiten Teil gehe ich genauer auf die Gründe für die vaterlose Kultur ein
- und im dritten Teil weise ich schließlich auf die verschiedenen Auswirkungen hin.

1. Einführung

Diese Arbeit stellt auch eine Gegenposition zu Veröffentlichungen dar, die in bezug auf das Geschlechterverhältnis ausschließlich in Opfer-Täter/in-Schemata denken bzw. einseitige Machtunterschiede ausmachen (siehe auch 4.7). Gemeint sind unter anderem feministische Ansätze von *Anita Heiliger*, die in ihrem Buch "Alleinerziehen als Befreiung" [1993] versucht zu beweisen, daß Väter bei der Kindererziehung kaum Wichtigkeit haben bzw. überflüssig sind. Ein weiteres Beispiel ist die Theorie der "hegemonialen Männlichkeit" von *Robert Connell* [vgl. z.B. *Männerforschungskolloqium Tübingen*, 1995, S. 47-61], die auch keine Grundlage für die Arbeit sein wird [vgl. zur Abgrenzung *Ax*, 1998, S. 4-9].

Von den konstruktivistischen Debatten der Wissenschaft (z.B. *Judith Butler* 1991, *Stefan Hirschauer* 1993, *Andrea Maihofer* 1995) werde ich ebenfalls keine Literatur verwenden, weil ich deren Grundgedanken und Blickwinkel auf das Geschlechterverhältnis wenig überzeugend finde. Eine Grundannahme des Konstruktionismus/Konstruktivismus, daß Sexuelles und Geschlechtsspezifisches kultur-historisch durch Macht (Machtbegriff von *Foucault*) geprägt bzw. vermittelt worden ist und somit radikal veränderbar sind [vgl. *Lautmann*, 1992, S. 220-221], teile ich nur in Ansätzen.

Bei *Butler* heißt es weiterhin, daß "die Identitätskategorien als Ursprung und Ursache bezeichnet werden, obgleich sie in Wirklichkeit Effekte von Institutionen, Verfahrensweisen und Diskursen mit vielfältigen und diffusen Ursprungsorten sind" [1991, S .9].

An anderer Stelle sieht sie "Geschlecht" als Regulierungsverfahren zur Herstellung kohärenter Identitäten [vgl. *Butler*, 1991, S. 38] und plädiert quasi für eine Aufgabe von Geschlechtsidentitäten.

Von einer kultur-historischen Prägung gehe ich auch aus, allerdings ist nicht überzeugend, daß dabei Macht die einzige Rolle spielt(e), ebensowenig teile ich die Annahme radikaler Möglichkeiten zur Veränderung des geschlechtsspezifischen Verhaltens. Der Konstruktionismus/Konstruktivismus spricht dadurch der kultur-historischen Entwicklung jeden Sinn ab bzw. stellt diesen in Frage. Die Tatsache, daß z.B. der Großteil der Bevölkerung weltweit heterosexuell ist, daß dies für die menschliche Reproduktion Sinn macht und daß dabei <u>anfangs</u> gewisse Aufgaben Frauen (Schwangerschaft, Geburt, evtl. Stillen) bzw. Männern (Begleitung, Schutz, Versorgung, Rahmengebung) zufallen, scheint dabei nur sehr unzureichend berücksichtigt.

Außerdem halte ich aus psychologischen Gesichtspunkten ihre Forderung nach der Aufgabe von Geschlechtsidentitäten für fatal. Denn die Geschlechtsidentität bildet während der Kindheit das Fundament für die entstehende, psychisch gesunde Persönlichkeit. Die Brüchigkeiten der Identitäten bei Menschen, bzw. gerade bei Männern sind schon kulturzerstörend genug, wie ich unter 4. zeigen werde. Da bedarf es Stärkung und Sicherheit in bezug auf die Geschlechtsidentität anstatt zusätzlicher realitätsferner Verunsicherung durch konstruktivistische Theoriedebatten. Diese Aussage soll nicht mißverstanden werden als Zementierung starrer Geschlechterrollen. Das heißt lediglich, daß Männer, die über eine gefestigte Männlichkeit verfügen, eher in der Lage sind, die eigene Geschlechterrolle auch außerhalb traditioneller Männlichkeit mit sogenanntem weiblichen Verhalten auszubauen und anteilig bereit sind, Macht im öffentlichen Bereich und in der Berufsarbeit gegen Macht im Erziehungsbereich zu "tauschen".

Weiterhin ist es anfangs wichtig, einige Definitionen vorzunehmen, um Klarheit und Verständlichkeit in der Arbeit zu gewährleisten. Der Titel der Arbeit führt drei Begriffe ein und setzt sie miteinander in Beziehung: **Vaterschaft, vaterlose Kultur und männliche Identität.**

Vaterschaft heißt hier nicht nur biologische Vaterschaft mit ihren Verpflichtungen:

- Annahme der Vaterschaft

[vgl. *Lenzen*, 1997, S. 95; *Fthenakis*, 1985, Bd. 1, S. 11; *Pohle-Hauß*, 1977, S. 16],

- erste Identifikationsfigur (später: Vorbild) für Jungen oder erster gegengeschlechtlicher Lernpartner für Mädchen zu sein

[vgl. *Rebstock*, 1993, S. 73-77; *Stechhammer*, 1981, S. 38-40; *Pohle-Hauß*, 1977,
S. 38-41],

- Lösen der engen Mutter-Kind-Bindung (an anderer Stelle auch Mutter-Kind-Dyade
oder Mutter-Kind-Symbiose genannt)

[vgl. *Jellouscheck*, 1996a, S. 116, 121; *Schnack/Neutzling*, 1996, S. 46;
Pohle-Hauß, 1977, S. 19]

- und die anteiligen Funktionen als Erzieher, Ernährer und Beschützer

[vgl. *Lenzen*, 1991, 1997; *Rebstock*, 1993, S. 33-43],

sondern auch soziale Vaterschaft für andere Kinder bis hin zu einigen Vaterschafts-
funktionen von Lehrern und Vorgesetzten in Staat, Institution(en) und Wirtschaft.

Vaterlose Kultur meint hier, daß die oben beschriebenen väterlichen Verpflichtungen aus verschiedenen Gründen nur noch unzureichend erfüllt werden oder andere
die Funktionen übernehmen (siehe Teil 2 und 3 der Arbeit) und dies schließlich kulturell selbstverständlich geworden ist. Der Begriff ist angelehnt an den Buchtitel
"Auf dem Weg in die vaterlose Gesellschaft" von *Alexander Mitscherlich*, der als einer der ersten im Jahre 1963 auf Teile dieser Entwicklung aufmerksam gemacht hat
[vgl. *Petri*, 1997, S. 173].

Männliche Identität entsteht optimal, wenn es neben dem anatomisch männlichen
Geschlecht zur Übereinkunft von der Selbstannahme als Mann, der positiv mitgege-
benen Elternprimärdefinition als Mann und zur Außenbestätigung als Mann kommt.
Eine zentrale Rolle in diesem Prozeß kommt der Beendigung der Erstidentifizierung
des Jungen mit der Mutter und der anschließenden Identifizierung mit dem gleichge-
schlechtlichen Vater als Orientierung zu [vgl. *Greenson*, 1982, S. 263; *Pohle-Hauß*,
1977, S. 19].

2. Geschichtlicher Rückblick zum Funktionswandel der Vaterschaft

"Ich wurde als Pfarrer in eine Familie meiner Gemeinde gerufen. Der Vater war gestorben. Im Gespräch erfuhr ich, daß er nur um ein Jahr seine Pensionierung überlebt hatte. Am Abend seines letzten Arbeitstages hatte er sein Fahrrad in den Schuppen gestellt und war praktisch aus dem Fernsehsessel nicht mehr aufgestanden. Nach einem Jahr war er tot, ohne krank gewesen zu sein. Er war gestorben an innerer Leere. Kein Zureden der Familie hatte Erfolg gehabt. - Mit der Frau hatte er sich 'ausgeredet', wie er sagte. Seine Pflicht gegenüber den Kindern war erfüllt. Alle spürten seine Einsamkeit. Aber reden konnte er darüber nicht. Einen persönlichen Freund hatte er nie gehabt. - Ich denke, so endet manches Männerleben" [*Wiedemann*, 1992, S. 74].

"Der wichtigste Mann in meinem Leben war mein Vater. Er starb mit 49 Jahren an Lungenkrebs. Ich war zwölf Jahre alt. Meine Erinnerungen an ihn waren zunächst nicht sehr angenehm. Er war vom Leben enttäuscht. Nach einigen Jahren russischer Kriegsgefangenschaft hatte er keinen Anschluß gefunden. Er lebte in einer depressiven Grundstimmung, ging dann auch mal zum sogenannten 'Nervenarzt', (...); dort wurde ihm nicht geholfen. Manchmal war er so verzweifelt, daß er vor Frau und Kindern mit Selbstmord drohte. Auf der anderen Seite hatte er wie ein Besessener gegen seine berufliche Nichtanerkennung gearbeitet, und er konnte erst bei völliger Erschöpfung aufhören. Er litt unter einem starken Minderwertigkeitsgefühl und er war oft gereizt und jähzornig. Seine Angst hielt er durch Kettenrauchen unter Kontrolle. Ich habe mir eigentlich einen starken und kräftigen Mann als Vater gewünscht und wohl auch anfangs phantasiert. Mein Vater verachtete Schwäche ebenso wie ich (...)" [*Parpat*, 1992, S. 135].

Durch diese Einleitung werden schon einige wichtige Aspekte des Mann-Seins und der (tendenziellen) Vaterlosigkeit angesprochen. Wie konnte es dazu kommen, daß solche Beispiele scheinbar eher die Regel als die Ausnahme sind?

Ein historischer Rückblick scheint sinnvoll, ist aber genauso schwierig: "Der Versuch einer Darstellung der Vater-Kind-Beziehung in der menschlichen Geschichte begegnet einem nicht zu übersehenden Mangel an validem Material" [*Fthenakis*, 1985, Bd. 1, S. 4].

Trotzdem wagt *Dieter Lenzen* die Kulturgeschichte der Vaterschaft genauer zu beschreiben [vgl. *Lenzen*, 1991 und 1997, S. 87-113]. Er geht dabei zurück bis ca. 8000 vor Christus ins **Paläolithikum (Altsteinzeit)** und beschreibt von dort aus über das

Neolithikum (Jungsteinzeit), das **alte Israel**, die **griechische Antike**, die **römische Antike**, das **Frühchristentum**, das **Mittelalter**, die **Reformationszeit**, die **Aufklärung** bis ins **19. und 20. Jahrhundert** hinein, den Funktionswandel der Vaterschaft.

Im **Paläolithikum** [vgl. *Lenzen*, 1991, S. 23-39 und 1997, S. 88-89] war die Zeugungsfunktion des Vaters wegen dem zeitlichen Abstand zwischen Zeugung und Niederkunft zunächst unbekannt und die sorgenden und nährenden Funktionen wurden von der gesamten Stammesgruppe getragen. In dieser Jäger- und Sammlerkultur wurde Vaterschaft also auch vom Vater wahrgenommen, aber nicht aus der konkreten Verantwortung heraus, sondern eher zufällig. Die damaligen Theorien über Nachkommenschaft sahen als Veranlasser zunächst den Mutterbruder (bei den Trobriandern) oder den Vaterbruder (bei den Gourmentchèn) vor.

Pohle-Hauß beruft sich bei einem Rückblick auf *Bornemanns* Werk "Das Patriarchat" und kommt zu dem Schluß, daß zu dieser matriachalischen Zeit Vaterschaft und Ehe keine Rolle spielten. Die eventuellen Väter waren die Gefährten der Frauen innerhalb der Sippe oder aber auch nur zeitlich anwesend [vgl. *Pohle-Hauß*, 1977, S. 6]. Dem wiederspricht *Lenzen* vehement [vgl. 1991, S. 24-33]. Mutterrecht, Matrilinearität oder Matrilokalität, welche zu der Zeit teilweise unterschiedlich praktiziert wurden, ist nach *Lenzen* nicht mit einem Matriarchat gleichzusetzen, sagt also nicht automatisch etwas über geltende Herrschaftsformen aus.

Bis ca. 2000 vor Christus, im **Neolithikum**, so *Lenzen* weiter, wurde zum ersten Mal die Zeugungsbeteiligung des Vaters mit der Schwangerschaft der Mutter in Verbindung gebracht. Gerade im alten Ägypten sieht *Lenzen* hier den Beginn der bewußten Kindsannahme durch den Vater mit den gekoppelten Pflichten wie Nähren, Beschützen, Traditionsvermittlung und die Vorbereitung für den Sohn auf die Einnahme des Vaterplatzes. Dem Sohn fallen hierbei Totenkult-Verpflichtungen zu; alles symbolisiert die neue wechselseitige Verbundenheit [vgl. *Lenzen*, 1997, S. 88-95].

"Die Analyse der Verwandtschaftsterminologie Babyloniens zeigt, (...) daß die junge Ehefrau im Akte der Gattenwahl ausschließlich Objekt ist. Sie wird von ihrem Schwiegervater gewählt, von ihrem eigenen Vater dem Ehemann gegeben, der sie nimmt. In dieser Nomenklatur wird besonders durch die Auswahltätigkeit des Gattenvaters eine besondere Bedeutung der Vaterschaft offenkundig. Die Patrilinearität scheint Grundlage dieses Systems zu sein, (...)" [*Lenzen*, 1991, S. 42].

Hier sehe ich erstmalig deutlich den Vater als Identifikationsfigur für den Sohn, gleichzeitig kann auch die Lösung der Mutter-Kind-Dyade statt anteilig durch die Sippe vom Vater aus geschehen.

Es mußte jedoch nicht zur Kindsannahme kommen, denn der Kindsmord oder auch die Weggabe von Kindern war jahrtausendelang sozial mehr oder weniger akzeptiert. Selbst in vielen europäischen Regionen wurde dies auf breiter Ebene erst zwischen dem 18. und dem 20. Jahrhundert unterbunden [vgl. *Fthenakis*, 1985, Bd. 1, S. 9/10]. *Pohle-Hauß* [vgl. 1977, S. 5-8] zufolge bekamen die Männer in dieser Zeit durch die Erfindung des Pflugs für den Ackerbau die Vorherrschaft in der Nahrungsversorgung und verschafften sich über Seßhaftigkeit, Handel und Besitz, Unabhängigkeit und Macht gegenüber der Sippe und den Frauen. Nun war es zum einen möglich in kleineren Einheiten zu leben, zum anderen entstanden Ehe und Familie. Außerdem wurde die Sicherung der Existenz als Ziel, an die Söhne weitergegeben.

Diese Machtdeutung ist zwar in sich logisch, aber auch zu vereinfachend, da sie andere Einflußfaktoren oder Umstände ausschließt, wie z.B.

- regionale Unterschiede,

- kulturelle Unterschiede,

- unterschiedlichen sozialen Wandel,

- bewußte und einvernehmliche Geschlechtsrollenzuweisungen oder

- Veränderungen der Persönlichkeits- und Charakterstruktur der Menschen.

Im **alten Israel** (1500 - 500 vor Christus) wurde die religiöse Gott-Auserwählten-Beziehung auf die Vater-Kind-Beziehung übertragen (Altes Testament).

"Der Vater steht gleichsam in der verlängerten pädagogischen Funktion *Jahwes*, er ist der eigentliche Erzieher. Im Zentrum der leibhaftigen Vätererziehung steht das historische Handeln Gottes. Aus diesem Zusammenhang entsteht das Vaterhaus in seiner Bedeutung als zentrale Kultstätte" [*Lenzen*, 1997, S. 96].

Der Vater vollzog also kultische und und priesterliche Dienste in der Familie, leitete und züchtigte den Sohn (wie Gott das Volk), stand ein für die leibliche Versorgung des "schmachtenden Kindes", war der einzige und genetische Vater und ließ "unverdiente Liebe" walten. Außerdem verfügte er in einer Reihe von Fällen über ein Entscheidungsrecht, was Leben und Tod der Kinder anging (z.b. bei ungewünschten Töchtern, beim sich Verführen-lassen der Tochter, bei Ehebruch, gegenüber unehelichen Kindern oder bei kindlicher Gehorsamsverweigerung).

Weitere Verpflichtungen des Vaters waren neben der Verheiratung der Kinder die Finanzierungen für die Beschneidung, für den Unterricht bei einem zusätzlichen Lehrer, für die Berufsausbildung und gegebenfalls für die Mitgift der Tochter aufzukommen [vgl. *Lenzen*, 1991, S. 56-75].

Das Ganze läßt sich als klassisch patriarchalisch bezeichnen, da der Vater das Familienoberhaupt darstellte und somit Vormund und Entscheindungsträger für die Frau und die Kinder war [vgl. *Fthenakis*, 1985, Bd. 1, S. 10-11].

Hier kommt also zur Kindesannahme, Traditionsvermittlung, Identifikationfunktion, Beschützer- und Versorgerfunktion auch neben einer Verfügungsgewalt, der deutlichere Erziehungsauftrag hinzu.

Auch im **antiken Griechenland** (ca. 2500 - 64 vor Christus) mit den Phasen "epische Zeit", "Sparta" und "klassische Zeit" war der Gottesbegriff des Zeus ähnlich dem des Vaters. Das Erziehungsziel für die Söhne als Nachfolger hieß, besser zu werden als der Vater. Allerdings übernahm in Sparta ab dem zwölften Lebensjahr ein sogenannter Liebhaber die pädagogische Initiative, inklusive päderastischer Handlungen.

"Der Koitus mit ihm dient der Vermittlung von Eigenschaften (...) denn die Tüchtig-
keit steckt im Samen des Liebhabers (...) Der Knabe kann den Vater nur übertreffen,
wenn er einen zweiten Vater hat. Erstmalig verschiebt sich also eine wesentliche väterliche Funktion, die der Erziehung, auf Dritte" [*Lenzen*, 1997, S. 98].

Auf den inzestiösen Mißbrauch infolge der männlichen Vormachtsstellung und auf
deren Folgen will ich hier nicht weiter eingehen, weil es in diesem Teil thematisch
um den Wandel der Vaterfunktionen geht. Doch scheint mir die idealisierte Väterbe-
trachtung bei *Lenzen* fragwürdig:

"(...) und das Studium der Geschichte der Kindheit belegt, daß sie - aus heutiger
Sicht - voller Grausamkeiten für Kleinkinder und Jugendliche war: Kindesmord,
Kinderaussetzung, sexueller Mißbrauch, Weggabe von Kindern, Kindesmißhandlung
und Kinderarbeit beherrschen in der Darstellung verschiedener Historiker das Bild"
[*Fthenakis*, 1985, Bd. 1, S. 9].

Diese Zeit und gerade die griechische Mythologie sehen *Bode/Wolf* [vgl. 1995, S.
41] von der Angst des Vaters vor dem Verlust der Macht und dem Wunsch des Sohnes nach Machtübernahme geprägt. Weiterhin gehen sie dabei parallel von einem
Machtkampf der Geschlechter aus, in dessen Verlauf sowohl die Macht an die Männer übergeht als auch eine Verbündung der Mütter mit den Söhnen gegen die Väter
stattfindet.

Hier deutet sich neben der schwindenden Erziehungsfunktion, Identifikations- und
Ablösungsfunktion des Vaters, der stärkerwerdende Einfluß von Müttern im Innenbereich der Familie an.

Die **römische Antike** (753 vor Christus - ca. 300 nach Christus) begann laut Grün-
dungssage damit, daß ein Gott (Remus) mit einer menschlichen Frau einen Sohn
(Romulus) hatte. Der erbaute zusammen mit anderen Männern Rom und hatte dann
mit den geraubten Sabinerinnen Nachkommen, die gegenüber den Gründungsvätern
zu Verehrung verpflichtet wurden. Vor allem galt für die Söhne, den Gehorsam ein-
zuhalten und Unterhaltspflicht für die alternden Väter wahrzunehmen, aber auch das
(moralisch kontrollierte) Entscheidungsrecht über Leben und Tod ihnen gegenüber

zu akzeptieren. Allerdings oblag dem Vater umgekehrt auch die Versorgungspflicht. In dieser Zeit wurden scheinbar auf diese Weise - an Blutverwandtschaft gekoppelt - die Grundlagen für Alimentation und Erbrecht gelegt [vgl. *Lenzen*, 1997, S. 99/100].

"Wie die Hebräer hatten auch die Römer eine ausgeprägt patriarchalisch strukturierte Familie. Die Söhne konnten keinen eigenen Haushalt gründen, bis das männliche Haupt der Familie starb. Das Vater-Kind-Verhältnis wurde - ähnlich wie im alten Sparta - in erster Linie als Sachbesitz und weniger durch Liebe und Fürsorge interpretiert. Es bestand sogar ein allgemeines Desinteresse an der Kinderaufzucht. Nach römischer Sitte hatte ein neugeborenes Kind nur dann ein Lebensrecht, wenn der Vater es nach der Geburt vom Erdboden aufhob. Verweigerte der Vater die Annahme, hatte dies fast ohne Ausnahme seinen Tod zur Folge" [*Fthenakis*, 1985, Bd. 1, S. 11].

Trotz geographischer und zeitlicher Überschneidung von römischer Antike und dem **Frühchristentum** (45 bis 400 nach Christus) wuchs der christliche Einfluß. Auch im Frühchristentum wurde die Verbindung vom Göttlichen zum Menschen gezogen.

"Er (Origines - der Verfasser) propagiert nämlich die Vorstellung, daß die Menschwerdung Christi den Menschen eine Art Adoption zu Söhnen (bzw. Töchtern) Gottes ermöglicht" [*Lenzen*, 1997, S. 101].

Durch den Übervater Gott, die Erneuerung durch Christus und die wachsende Bedeutung Marias wird die Positon des leiblichen Vaters abgeschwächt. Die Rolle des Vaters vergeistigt sich mit der dogmatischen christlichen Unterweisungs- und Erziehungsaufgabe, so *Lenzen* [vgl. 1997, S. 101].

"Dabei ist Gott aber nicht nur die Person des gütigen, liebenden, gewährenden Vaters im Himmel, der seine Kinder segnet und ihnen ihre Sünden vergibt. Gott ist auch der Allmächtige, der straft, nicht verzeiht, die Kinder in Versuchung führt, der wenig Nachsicht üben kann, dem einen vergibt, den anderen aber verstößt, zur Buße und Erniedrigung zwingt (...)" [*Bode/Wolf*, 1995, S. 44].

Dies machen die Autoren sowohl anhand der Geschichte um Kain und Abel (Gottes Ablehnung der Opfergaben Kains im Gegensatz zu Abels) als auch bei Abraham und Isaak (Gott verlangt von Abraham die Opferung seines Sohnes als Treuebekenntnis) deutlich.

20

Im **Mittelalter** (375 - 1500 nach Christus) sieht *Lenzen* [vgl. 1997, S. 102-104] einen rasanten Demontageprozeß der Vaterschaft. Die Vaterschaft wird von der Priesterschaft durch das Zölibat getrennt, der Lehrer ist also danach nicht mehr der Vater und es entsteht eine Entfernung von der patrilinearen göttlichen Abstammung. Parallel dazu nimmt die Maria-Verehrung zu und somit auch Mutter-Kind-Vergöttlichung. *Fthenakis* [vgl. 1985, Bd. 1, S. 11] spricht in der Zeit des 8. und 9. Jahrhunderts von einem aufkommenden, aber wegen der unterschiedlichen Bedingungen der Eltern nicht allgemein verbindlichen Idealbild der liebevollen Mutter. Weiterhin erlischt die rechtspflichtige Unterhaltszahlung des verarmten Vaters und seine Vormundschaftsfunktion in Bezug auf Heirat der Söhne oder Töchter. Danach ist davon auszugehen, daß Kinder jetzt nicht mehr nur als Altersversicherung bekommen wurden.

Dem Vater bleibt die Rolle des Familienoberhauptes, die Ernährungs- und Schutzfunktion, aber als Erzieher und somit anteilig als Identifikationsfigur und Ablöser von der Mutter, ist er mehr oder weniger ersetzt worden.

Die **Reformationszeit** (16. Jahrhundert) koppelt *Lenzen* sehr an die Person Martin Luthers. Dieser trieb, so *Lenzen* [vgl. 1997, S. 104], die Kinder-Vergöttlichung voran. Er erkannte die stärker-werdende Position von Frauen in den Familien an, bzw. hatte auch Angst vor deren (emotionaler) Überlegenheit. Er betonte deshalb die Wichtigkeit des höheren Alters des Mannes und dem ihm zu zollenden Respekt in der Ehe. Obwohl er im Gegensatz zum Katholizismus gegen das Zölibat war, verlagerte sich doch die Erziehungsfunktion weiter auf andere:

"Obrigkeit und Lehrer, Hauslehrer und Mütter schickten sich an, diese Funktionen in die Hand zu nehmen, als der Vater das Haus der Produktionsfamilie verläßt, um außerhalb des selben seine Lebenszeit zum Gegenwert der Mittel zu verkaufen, mit deren Hilfe er seine alimentatorische Verpflichtung gegenüber der Familie wahrnehmen kann" [*Lenzen*, 1997, S. 105].

Heinsohn/Knieper/Steiger [1979, S. 72/73] sehen von England ausgehend einen Eingriff des Staates in die Lohnarbeiterfamilie, damit deren Kinder nicht die Armenhäuser füllen:

"Es gibt nicht länger die unbedingte väterliche Verfügungsmacht über die Entwicklung der Kinder, an ihre Stelle tritt nunmehr die Aufsicht des Staates über die Väter, die zur Erziehung ihrer Kinder im Interesse der Gesellschaft verpflichtet werden müssen, weil sie mit ihren persönlichen Interessen nicht übereinstimmt."

Im Gegensatz zu *Lenzen* berichtet *Fthenakis* [vgl. 1985, Bd. 1, S. 11-12] wieder von einer Einflußzunahme des Vaters gegenüber dem Mittelalter. Der von ihm zitierte *Poster* unterteilt wegen Unterschieden in aristokratische und bäuerliche Familien. Gemeinsam war ihnen, daß der Familienvater Oberhaupt und Entscheidungsträger war. In den aristokratischen Familien soll es hingegen üblich gewesen sein, die Erziehung an Dienstboten zu delegieren, während es im bäuerlichen Bereich bei der väterlichen Erziehung eine Art moralische Kontrolle durch das Dorf gab.

Mitterauer hingegen mahnt zur Vorsicht bei verallgemeinerten Entwicklungs- beschreibungen innerhalb der Familienforschung und hält mehr von historischen Situationsbeschreibungen.

"Historische Familienforschung, die sich die Frage nach Entwicklungstrends stellt, unterliegt der Gefahr des Evolutionismus (...). Die Wurzel solcher evolutionistischer Modelle ist zumeist ideologisch (...). Die Familie der frühen Neuzeit, die sich über verschiedene Zwischenstufen zu der Familie der Gegenwart entwickelt hätte, hat es nie gegeben (...). Im 16. Jahrhundert gab es nebeneinander eine bunte Vielfalt von sehr unterschiedlichen Familientypen, in ihrer Verschiedenheit wohl viel differenzierter als in der Gegenwart. Das Familienleben von Bauern oder Kleinhäuslern war ganz anders als das von städtischen Handwerkern, von Kaufleuten, von Beamten, von Adeligen. Große Bedeutung kommt regionalen Unterschieden zu. Die Familienwirtschaft eines Bergbauern in den Alpen hatte mit der eines Weinbauern an der Mosel wenig gemeinsam. Auch religiös-konfessionelle und andere kulturelle Faktoren wirken stark differenzierend. Viele für die Familie wichtige Prozesse des sozialen Wandels betrafen nur eine bestimmte Bevölkerungsgruppe, eine bestimmte soziale Schicht, eine bestimmte Region, eine bestimmte konfessionelle Gruppe etc. Manche solcher Prozesse wirkten in verschiedenen Räumen oder sozialen Millieus stark phasenverschoben, so daß sie schwer einer bestimmten Epoche zugeordnet werden können" [*Mitterauer*, 1989, S. 179].

Es ist sicherlich sinnvoll, diese Kritik grundsätzlich zu beachten, jedoch ließe sich bei gänzlichem Folgen der Theorie überhaupt keine Aussage mehr treffen.

Der **Absolutismus** und die **Aufklärung** im 17. und 18. Jahrhundert in Form der "Französischen Revolution" mit den Forderungen nach Freiheit, Gleichheit und Brüderlichkeit, sorgte nach *Lenzen* [vgl. 1997, S. 105] geradezu für eine Zerstörung des Vaterprinzips. Das hört sich erstmal sehr reaktionär an, wenn mensch an die gewonnenen Freiheiten denkt. Was er thematisch sagen will, wird aber klarer mit dem Zusatz, daß dadurch der Respekt vor den Leistungen der Vorfahren wegfällt und nur noch eine gleichgenerative Verwandtschaftsbeziehung möglich ist (Im "Neuen Testament" kommen die Forderungen der französischen Revolution bereits als Verkündungsformen vor).

Als vorherrschende Form der vorindustriellen Agrargesellschaft sieht *Rebstock* [vgl. 1993, S. 18-19] das "ganze Haus". Hierbei ist das Gebäude und die darin lebende Gruppe aus verwandten und nicht verwandten Personen gemeint, die zusammen eine Lebens- und Wirtschaftsgemeinschaft bildeten. Die Arbeitsorganisation, die das Überleben sicherte, bestimmte den Alltag. Die Versorgung der Säuglinge und kleinen Kinder geschah quasi nebenbei, und sobald die Kinder älter waren (ca. 6-7 Jahre), arbeiteten sie mit. Die Frauen, Kinder, Dienstboten und Inwohner/innen unterstanden dabei der Autorität des Vaters [vgl. *Rünzler*, 1993, S. 22]. *Beck-Gernsheim* [vgl. 1994, S. 6] nennt dies eine voneinander abhängige Notgemeinschaft, in der wenig Platz war für persönliche Neigungen oder Liebe. Diese letzte Aussage zur Liebe läßt sich jedoch nicht generalisieren.

Durch die industrielle Revolution, die zuerst 1785 in England einsetzte, kam es auch in West-Europa zu großen Veränderungen der Wirtschafts- und Gesellschafts- ordnung: Maschinelle Erzeugung in Großbetrieben, Eisenbahn, Dampfschiff und die Entstehung der Großstädte gingen damit einher [vgl. *Brockhaus*, 1985, S. 385].

Eine Folge war, daß einige Überlappungen der Lebensbereiche von Männern und Frauen während der vorindustriellen Zeit aufgehoben wurden. Die meisten kleinen handwerklichen und landwirtschaftlichen Betriebe waren nicht mehr konkurrenzfähig und vorwiegend die Männer mußten in die Fabriken gehen, während die Frauen Heim, Haushalt und Kinder versorgten. Diese durch das Bürgertum als ideal propagierte Familienform der Geschlechtsrollenaufteilung war der Anfang des Verschwindens des Vaters aus der Familie. Zwar war zunächst seine Entscheidungs- und Repräsentantenfunktion noch erhalten und auch der Ernährer oder Haupternährer der Familie zu sein, schien eine Aufwertung, doch verlor er durch seine körperliche und emotionale Abwesenheit schnell an Einfluß [vgl. *Bode/Wolf*, 1995, S. 34-35 und *Rebstock*, 1993, S. 20-25]. *Rünzler* [vgl. 1993, S. 26-29] macht zu der Zeit noch einige Unterschiede zwischen der bäuerlichen Familie, der Handwerkerfamilie, der industriellen Lohnarbeiterfamilie und der bürgerlichen Familie aus, doch wurden in den folgenden Jahrzehnten die Unterschiede immer geringer, bzw. das bürgerliche Familienmodell setzte sich letzendlich durch.

Wichtig für den schwindenden Kontakt zwischen Vater und Sohn scheint mir neben dem bürgerlichen Familienmodell ebenso die sogenannte "Schwarzen Pädagogik" (=Austreiben des eigenen Willens beim Kind, verlangter bedingungsloser Gehorsam, harte und gewalttätige Strafen wie hungern lassen, schreien lassen oder extreme körperliche Züchtigung) und die damit einhergehende Kontrolle zur Verhinderung von Masturbation zu sein.

"Diese systematische 'Antimasturbationspädagogik' hat mit ihrer gewalttätigen Trieb- und Affektkontrolle tiefe Wirkung gezeigt: zu Beginn noch beim Namen genannt, wurde das Thema Sexualität für das Bürgertum im Laufe des 19. Jahrhunderts zum Tabu (...). Individuelle Aufstiegsmentalität, Selbstbeherrschung und gefühlsmäßige Abschottung waren die erstrebenswerten männlichen Charaktereigenschaften, die letztlich seine Entfaltung im Beruf ermöglichten. Sinnlichkeit und Emotionalität waren der Weiblichkeit zugeordnet, so daß eine Aufspaltung menschlicher Eigenschaften nach Geschlechtern stattfand, die mit weiterer Ausprägung als 'natürlich' empfunden wurde" [*Van den Boogaart*, 1987, S. 87-88].

Weiterhin wurde der Vater dadurch in seiner Vorbildfunktion herabgesetzt und sein Arbeitsfeld wurde abstrakt für die Jungen. Insgesamt höhlte sich seine Vormachtstellung in der Familie immer weiter aus. Nun mußte die Frau mehr in die Vorbild-funktion rücken.

"Dabei stand nun aber nicht nur eine Übernahme der männlichen Tugenden der Mo-ral und Sittlichkeit an, sondern die Übernahme von Erziehungsaufgaben und die Herausbildung von Eigenschaften, die man zumindest später gerne dem weiblichen Geschlecht natürlicherweise als inhärent bezeichnet hat, so etwas wie Ordnung, Reinlichkeit, Fleiß, Sparsamkeit, Harmoniebereitschaft, Zärtlichkeit und so weiter" [*Lenzen*, 1997, S. 107].

Die so sozialisierten Söhne trugen als Erwachsene diese vaterlosen Erfahrungen in ihre eigenen Familien und erschafften dadurch eine neue Normalität.

Im **19. Jahrhundert** des Bürgertums und des Proletariats sieht *Lenzen* [vgl. 1991, S. 195-218 und 1997, S. 108-109] weitere Einbußen der väterlichen Funktionen.

In Preußen stabilisiert sich das nationale Bewußtsein durch den Gedanken der geisti-gen Kulturgemeinschaft und den der völkischen Schicksalsgemeinschaft, durch die Befreiungskriege von 1813-1815 und die nationalen Einigungen bis 1871. Neben der Einführung der Gymnasialordnung und der Gründung der Berliner Universität hatte auch *Pestalozzi* als Pädagoge einen großen Einfluß auf diese Zeit (Er gilt als mitver-antwortlich für die Reform der Volksschule und er hob die Wichtigkeit der Erzie-hung durch die Mutter hervor).

Der Vatergedanke wird jetzt vergeistigt mit Vaterland und Staat gleichgesetzt und anteilig auch auf die Volksschullehrer und die erziehenden Mütter übertragen.

Auch dem Sozialismus schreibt *Lenzen* einen Anteil am Verschwinden von Väter-lichkeit zu. *Marx* und *Engels* wandten sich gegen die Ungerechtigkeiten des Bür-gertums, prangerten für die Proletarier die Zerreißung der Familienbande, Mißbrauch von Kinderarbeit und Haussklaverei der Frau an und wollten mit dem Übergang der Produktionsmittel als Gemeineigentum die privaten Haushalte in Industrie verwan-deln.

Bekanntermaßen setzte sich das sozialistische Ideal in Deutschland nicht durch, so daß das Bürgertum mehr Einfluß auf diese Zeit hatte.

Die Erziehung und Pflege der Kinder wurde zunehmend "Öffentliche Angelegenheit"; es wurden zusätzlich Kinderbewahranstalten, Erziehungsanstalten und Besserungs- anstalten eingeführt.

Hinzu kam, daß die Leidenschaften der Väter außerhalb der Familie stattfanden: Die Vermögenden hatten ihre Jagd-, Kneip-, Billard-, Arbeits-, und Rauchzimmer während die Arbeiter in die Kneipen gingen [vgl. *Van den Boogaart*, 1987, S. 89-93].

Die bevormundende Funktion und Teile der Schutzfunktion fielen dem Obrigkeitsstaat zu. Ernährungsfunktion, Zeugungsfunktion, Teile der Schutzfunktion und eine eher immer repräsentativere Funktion als Familienoberhaupt blieben für den Vater übrig.

Im **20. Jahrhundert** führte (auch) eine entstandene Vatersehnsucht die Menschen zu den Führern (Ersatzvätern) und dann schließlich zu den Kriegen (siehe 3.2). Gerade in der NS-Zeit setzte sich trotz männlicher Vorherrschaft und Männerkult die Schwächung des Vaters in der Familie fort. Dies geschah durch die NS-Organisationen zur Erziehung sowie durch den erneuten Kriegsbeginn [vgl. *Rebstock*, 1993, S. 26].

Im Zuge dessen vergrößerte sich europaweit bzw. fast weltweit die faktische Vaterlosigkeit in millionenfachem Ausmaß. Und auch die Wiederheimkehrer, als Abgemagerte, Verletzte, Trauernde, Traumatisierte und Besiegte voller Scham, fanden sich in den Familien nicht mehr zurecht. Insbesondere der Kontakt zu den Kindern gestaltete sich schwierig.

"Für viele Töchter und Söhne veränderte sich die Distanz zu ihren Vätern nicht mehr. Diese entzogen sich ihren Fragen, versuchten das Vergangene zu vergessen und zu verdrängen. Der Wiederaufbau des in Trümmern liegenden Deutschlands bot den 'gestürzten Vätern' die willkommene Chance, durch Arbeit, Leistung und Sozialprestige ihre verlorene Position in Gesellschaft und Familie zurückzuerobern" [*Rebstock*, 1993, S. 28].

Ergänzenswert ist, daß es auch nicht selbstverständlich war, ob die "verschworenen" Mutter-Kind-Einheiten die Väter wirklich wiederaufnehmen wollten oder im Speziellen der Sohn nicht inzwischen die Vater-Position mit mütterlicher Absegnung besetzte. Während dieser familiären Situation hat eine Mutter-Sohn-Ablösung nur sehr unzureichend stattgefunden.

Die Schutz- und Ernährungsfunktion wurden von Frauen und Staat wahrgenommen während dieser Kriegs- und Nachkriegszeit.

Auf jeden Fall sorgten in der Zeit danach anteilig die "entfremdet-schweigenden" oder "entfremdet-schreienden" Väter für eine zunehmende Umkehrung der einmal dagewesenen Vaterverehrung in Vaterhaß [vgl. *Rebstock*, 1993, S. 28-29]. Dabei ist mitzudenken, daß große Teile der Erziehungsfunktion, Identifikationsmöglichkeiten und Vorbildfunktion für den Sohn stark herabgesetzt wurden. Zuerst revoltierten die Kinder nur in den Familien, später auch in Form der außerpalamentarischen Opposition und der 68-Generation auf breiter gesellschaftlicher Basis gegen alle Wertmuster ihrer Elterngeneration [vgl. *Rebstock*, 1993, S. 31]. Dies geschah sicher nicht nur aus einem Freiheitswillen, sondern auch aus einer Orientierungslosigkeit aufgrund des väterlichen Autoritätsverlustes.

Beck-Gernsheim [vgl. 1994, S. 7-12] weist noch auf weitere wichtige Veränderungen während dieser Zeit hin, die auch einen großen Einfluß auf den Vater-Sohn-Kontakt hatten. Am Ende des 19. Jahrhunderts entstand der Sozialstaat, der dann später in der zweiten Hälfte des 20. Jahrhunderts ausgebaut wurde (Altersrente, Unfall- und Krankenversicherung, Arbeitslosengeld, Sozialhilfe, Steuererleichterungen, Kindergeld, Ausbildungsbeihilfe, Wohngeld und Anderes waren die Inhalte). Dadurch entstand neben dem staatlichem Anreiz zur Reproduktionssicherung [vgl. *Heinsohn/Knieper* 1974, S. 182-189 und *Heinsohn/Knieper/Steiger*, 1979, S. 181] und der Stärkung der wirtschaftlich schwachen Eltern, eine gewisse Unabhängigkeit der Frau von der Familie. Im Zusammenhang von Bevölkerungspolitik und neuer Frauenbewegung entstanden somit neue Möglichkeiten und Anforderungen in Bildung, Beruf und Lebensform gerade für Frauen.

Hiernach müssen jetzt Liebespartner mit Kindern immer mehr Entscheidungen fällen und ihr Leben planen. Unterschiedliche Berufe und Arbeitszeiten der Erwachsenen außerhalb des Wohnortes, unterschiedliche Schulen der Kinder und die außerhäuslichen Freizeitaktivitäten aller Familienmitglieder sorgen für weniger Gemeinsamkeit und für zufällige Treffen am Wohnort [vgl. *Beck-Gernsheim*, 1994, S. 8/9].

Was auf der einen Seite Freiheit für die Erwachsenen ist, ist auf der anderen Seite für Kinder eine Katastrophe: Trennungen und Scheidungen sorgen meistens für Vaterlosigkeit, Alleinerziehende und neue soziale Väter, also für Eifersucht in allen möglichen Konstellationen, außerdem für Wut, Haß und Rache untereinander und schließlich auch noch für viel Schmerz und Trauer speziell bei den Kindern. Das hat gerade für mein Thema viel Bewandtnis, weil nach der Scheidung der Vater oft geht oder "gegangen wird", das heißt, daß er entweder die Beziehung zu den Kindern auf kurz oder lang abbricht oder aber die Mutter ihm den Kontakt aufgrund des einseitigen Sorgerechts verweigern kann (siehe 3.4).

Beck-Gernsheim [vgl. 1994, S. 11] spricht von fast jeder dritten Ehe, die in Deutschland geschieden wird (also 30-33%). Diese Zahl scheint mir überhöht, sie könnte zustandekommen, wenn die Anzahl der Eheschließungen eines Jahres auf die Scheidungen des selben Jahres bezogen wurden. Dies ist aber statistisch nicht zulässig, mindestens jedoch sehr ungenau. Die Zahlen hierfür müßten langfristig untersucht werden.

"Kein Eheschließungsjahrgang erreichte bisher einen Anteil geschiedener Ehen von mehr als 25%" [*Burkart*, 1995, S. 4].

Natürlich ist die Zahl trotzdem hoch und selbst wenn der Vater körperlich anwesend ist, hat er sich entweder freiwillig zurückgezogen oder hat sich aus der Familie rausdrängen lassen (Er beschäftigt sich nunmehr mit Karriere, Verein, Politik, Konsumgütern, Auto, Garten, Haus, Hobbyraum, Sport, Kneipgängen,...). *Rebstock* [vgl. 1993, S. 45] bezeichnet dies als matriarchal orientiertes Innenverhältnis der Familien, in der die Frau als Spezialistin für Beziehungen, Kommunikation und Emotionales gilt.

Insgesamt gehe ich heute am Ende des 20. Jahrhunderts von einem Machtüberhang (inklusive Machtsicherung) der Frauen im Erziehungs- und Beziehungsbereich aus und parallel dazu sehe ich bei Männern mehr Macht (inklusive Machtsicherung) in der Berufswelt und dem öffentlichen Bereich (siehe 3.3.1 und 3.3.2).

Was bleibt heute an Funktionen für die Väter innerhalb der Familie außer den Forderungen der Väterinitativen und dem neuen, aber nicht gesellschaftlich verbreiteten Engagement der Väter?

Die Reproduktionsmedizin macht auf Wunsch den männlichen Zeugungsakt überflüssig. Auch alimentierende Funktionen werden teilweise von Frauen und in großen Summen vom Staat übernommen. Erziehung geschieht weitgehend durch Frauen in Familie und Kindertagesstätten. Als Vorbilder für Jungen dienen abstrakte Medienhelden und "Jugendgangs". Gepaart mit den anderen erwähnten Funktionsverlusten erhalten wir den Vater als Fremden in und außerhalb der Familie.

Wie wichtig der Vater anteilig als Erzieher, Versorger und Beschützer ist, soll folgende vorausgreifende Frage andeuten: Was bedeutet es psychologisch für die männliche Identität der Söhne, wenn der Vater, die erste wichtige Identifikationsfigur, seine Vaterschaft nicht wirklich annimmt und er auch nicht die Mutter-Kind-Dyade löst?

Wer soll letzteres sonst tun? Wer ist so nah am Kind, um dies zu vollziehen? Nun könnte kritisiert werden, daß in der bisherigen Betrachtung dieser Arbeit keine anderen Lebensformen als Alternative zur traditionellen Familie angeboten bzw. diskutiert werden, wie zum Beispiel schwule oder lesbische Paare. Mal abgesehen davon, daß diese keine Kinder zeugen können, hieße das weiterhin, daß nur ein Teil dieser Paar-Konstellation biologischer Vater oder biologische Mutter wäre und somit immer der gegengeschlechtliche Teil fehlt.

Das schwule Paar ist in der Frage der Mutterablösung eine ungünstige und totale Alternative. Wobei es immer Fälle geben könnte (z.b. Tod der Mutter), in denen das eine mögliche Lösung wäre. Grundsätzlich bin ich jedoch der Meinung, daß es für ein Kind gut ist, mit beiden Geschlechtern im Kontakt aufzuwachsen, Mann und Frau mit ihren biologischen und geschlechtlichen Unterschieden im engen Kontakt zu erleben.

Außerdem gehe ich selbst bei dieser Betrachtung noch von Zwei-Elternteil-Familien-Modellen aus. Das tue ich, weil ich glaube, daß in größeren Familienkonstellationen die Situation für Kinder zu unübersichtlich wäre. Das heißt nicht, daß viele Personen Unklarheit bringen, dies hätte eher den Vorteil, eine zu starke Elternfixierung zu begrenzen. Das Problem ist, daß die häufigen Wechsel der Personen und wohlmöglich der Partner/innen in den Gemeinschaften (aus welchen Gründen auch immer) sehr ungünstig für Kinder sind. Kinder brauchen möglichst einen hohen Grad an Kontinuität, gerade in den Primär-Beziehungen zu den Eltern als auch sonst im Alltag für den Aufbau ihrer selbstbewußten und sicheren Identität.

Als nächstes komme ich zu dem lesbischen Paar als Eltern. Natürlich ist erstmal nicht einzusehen, warum gleichgeschlechtliche Paare ein Kind weniger lieben sollten, aber das behaupte ich auch nicht. Die Problematik stellt sich hier noch schwerer dar als für Ersatz-Väter/soziale Väter. Denn hier entstehen nicht nur Schwierigkeiten mit der gegenseitigen Akzeptanz von allen Beteiligten in der neuen Familienkonstellation, sondern die Frage ist, ob eine Mutterablösung des Sohnes ohne einen Mann überhaupt geschehen kann.

Die Psychoanalyse gibt hierzu den Hinweis, daß die Mutter-Kind-Ablösung am besten von einem gegengeschlechtlichen Teil, also einem Mann, vollzogen werden kann. Dieser repräsentiert etwas anderes, das Männliche - eben nicht das Mütterlich-weibliche - allein schon durch seinen geschlechtlichen Unterschied, aber auch durch sein unterschiedliches Verhalten. Dies erleichtert den Prozeß der Ablösung und wahrscheinlich kann dieser Prozeß dadurch überhaupt erst eingeleitet werden.

Bei diesen theoretischen Betrachtungen ging es nur um einen Sohn als Kind in den verschiedenen Eltern-Konstellationen, für Mädchen wäre das alles speziell auch noch durchzugehen, aber das ist nicht Inhalt dieser Arbeit.

Adoptiv-Eltern habe ich nicht betrachtet, weil dort andere Problematiken vorranigiger sind, nämlich zum Beispiel, wie das Kind überhaupt neue Beziehungen aufbaut, wie es mit dem gestörten Urvertrauen umgeht, weil es zu keiner oder nur zu einer eingeschränkten Mutter-Kind-Dyade nach der Geburt kam und es schließlich weggegeben wurde. Weiter ist ebenso offen mit was für eigenen Schwierigkeiten die Eltern ihre Mutter- bzw. Vaterschaft annehmen. Auch auf diesem Nebenschauplatz ergeben sich viele Fragen, die hier nicht alle beantwortet werden können und eigene Forschungsvorhaben darstellen.

Zusammenfassend bleibe ich bei dem heterosexuellen Zwei-Elternteil-Familien-Modell als Ideal für Kinder. Allerdings mit dem Zusatz, daß ich nicht behaupte, es gehe überhaupt nicht anders. Denn das Ideal nützt wenig, wenn Kinder von Ihren Eltern wenig geliebt werden, keine Unterstützung erfahren oder schlimmer noch willkürlich geschlagen oder mißbraucht werden.

Im nächsten Abschnitt dieser Arbeit gehe ich expliziter auf die Gründe für die vaterlose Kultur aus der heutigen Sicht ein. Dabei wird es einige Rückbezüge zu dem Geschichtsteil und den beschriebenen Funktionsverlusten von Vätern geben.

3. Die Gründe für die vaterlose Kultur

Die folgenden acht Gründe für die vaterlose Kultur sind natürlich nicht isoliert voneinander zu betrachten, sondern greifen ineinander. Aus Gründen der Übersichtlichkeit habe ich mich dennoch für eine Einzeldarstellung entschieden.

3.1 Fehlendes väterliches Vorbild

Nach *Mitscherlich* [vgl. 1969, S. 175-208 und 330-372] steht am Anfang der Kindheit zunächst die Wichtigkeit der Entstehung des Urvertrauens durch den symbiotischen Mutter-Kind-Kontakt. Der Vater ist hingegen die sekundäre unersetzbare Urfigur, von der man lernen kann, die Tradition weitergibt, die einführt in den Umgang mit Werkzeugen und der Welt: das Vorbild.

In der Zivilisation bis 1963 sieht er ein Verschwinden des väterlichen Arbeitsbildes, das dem Lernprozeß entgegensteht und den Kontakt minimiert (Das Kind weiß nicht, was der Vater tut). Als Grund hierfür nennt er:

"Die fortschreitende Arbeitsfragmentierung im Zusammenhang mit maschineller Massenproduktion und einer komplizierten Massenverwaltung, die Zerreißung von Wohn- und Arbeitsplatz, der Übergang vom selbständigen Produzenten in den Stand des Arbeiters und Angestellten, der Lohn empfängt und Konsumgüter verbraucht, hat unaufhörlich zur Entleerung der auctoritas (Autorität - der Verfasser) und zur Verringerung der innerfamiliaren wie überfamiliären potestas (Macht - der Verfasser) des Vaters beigetragen" [*Mitscherlich*, 1969, S. 186-187].

Mitscherlich geht weiter davon aus, daß die gewissenhafte Über-Ich-Bildung des Kindes aufgrund der gestörten Objektbeziehung zum Vater nicht vollständig geschehen kann. Es entsteht eine Ambivalenz der Gefühlseinstellungen und eine diffuse Urteilsfähigkeit über sich und andere. Die Phantasien über den Vater behindern die Identitätsfindung und sorgen neben Orientierungslosigkeit ebenso für eine Suche nach schneller Triebbefriedigung. Gleichzeitig ist der Vater unglücklich über seine Berufstätigkeit, welche wenig wert auf persönliches Geschick oder sein Ausdrucksbedürfnis legt. Auch er flüchtet in Ersatzbefriedigungen.

Viele Menschen verschwinden nach *Mitscherlich* so mehr oder weniger verantwortungslos-ohnmächtig in der Masse und konkurrieren hier wie neidische Geschwister.

"Es entsteht ein Ordnungsdefizit im Sinne einer Orientierungsschwäche, die zur Regression in sehr archaische Erfahrungen der Befriedigung zurücktreibt" [*Mitscherlich*, 1969, S. 334].

Hierbei sieht *Mitscherlich* Zusammenhänge zum "Nicht-altern-wollen", zum Egoismus und zur Schrumpfung des affektiven Kontaktes der Menschen. Die Enttäuschungen und Aggressionen über die genannten Zusammenhänge und auch über die als entpersonifiziert wahrgenommenen Gesellschaftsmachtverhältnisse werden schließlich auf Vaterfiguren wie Lehrer, Polizisten oder den Staat allgemein projiziert, so *Mitscherlich* weiter.

Was bedeuten *Mitscherlichs* Analysen auf tiefenpsychologischer Grundlage für die heutige Zeit?

Neben vielen wichtigen Hinweisen in bezug auf den Vater-Sohn-Kontakt halte ich seine Zeilen aber auch für konservativ und etwas dramatisierend, gerade was die Wichtigkeit des beruflichen Vorbildes angeht, denn das Wegbrechen von Traditionellem bedeutet auch eine Chance für andere, vielleicht besser funktionierende Familien-Modelle (z.B. Teilzeitarbeit für beide Elternteile, wo dann der Vater als Erzieher mehr anwesend ist).

Es muß also differenziert werden, zwischen dem Vater, der nur während der Arbeit abwesend ist und dem Vater, der auch nach der Arbeit emotional abwesend ist. Letzterer tritt als Erzieher kaum in Erscheinung. Der weitgehend abwesende Vater ist doch das Hauptproblem und nicht so sehr die Abwesenheit alleine durch Berufsarbeit.

Außerdem suchen Kinder in ihrem Umfeld bei zuviel väterlicher Abwesenheit nach Ersatzvaterfiguren, die einen Teil der Vorbildfunktion abdecken können; wobei natürlich das Problem besteht, daß sowohl in den Familien als auch in den professionellen Erziehungsinstitutionen meistens nur Frauen arbeiten und zuständig sind. Ein weiteres Problem bei Vaterersatzfiguren ist, daß immer die tiefe psychische Verletzung des Sohnes aufgrund der mangelnden leiblichen Vaterunterstützung zurückbleibt.

Mitscherlich versäumt auch, eine geschlechtliche Differenzierung einzuführen [vgl. auch *Petri*, 1997, S. 181]. Ohne dies explizit deutlich zu machen, wirkt es, als schreibe er immer über Söhne und kaum über Töchter. Eine geschlechtsbezogene Differenzierung halte ich aber für notwendig, weil der "Mangel an Vater" auf Söhne andere Wirkungen hat als auf Töchter. Für Söhne geht es ca. ab dem 2. oder 3. Lebensjahr um die gleichgeschlechtliche Identifizierung für die Herausbildung der männlichen Identität, um seine Ablösung aus der Mutter-Kind-Symbiose durch den Vater und daraus folgend um den männlichen Vorbildcharakter des Vaters.

Hingegen spielt der Vater für die Tochter bei deren weiblichen Identifizierung erstmal eine untergeordnetere Rolle. Seine große Wichtigkeit - das Lösen von der Mutter zu ermöglichen - erlangt er hier erst später nach der Identifikaton der Tochter mit der Mutter. Parallel ist er jedoch der erste Mann, mit dem die Tochter den Umgang mit dem anderen Geschlecht üben kann [vgl. auch *Stechhammer*, 1981, S. 39].

Ein weiterer wichtiger Kritikpunkt sind sicherlich die idealisierten Verallgemeinerungen in seinen Arbeitsplatzbetrachtungen:

"Mitscherlich umgeht eine genaue soziologische Analyse, wenn er lediglich von 'Arbeitern' oder von 'Angestellten in einer bürokratisierten Gesellschaft' spricht und deren Arbeitsbedingungen mit denen früherer Bauern und Handwerker vergleicht. Eine solche grobe Vereinfachung muß sich zwangsläufig gegen die Plausibilität einer Theorie richten" [*Petri*, 1997, S. 178].

Inzwischen haben sich Teile des Problems gewandelt, denn die Höhe der Arbeitslosigkeit war damals nicht abzusehen. Die daraus folgenden väterlichen Identitätskonflikte und die Auswirkungen auf die Familie sollen hier aber nur kurz behandelt werden. In der Regel wird der zwangsläufig zuhause anwesende Vater nicht automatisch seine Erziehungsfunktion ausbauen, sondern die Arbeitslosigkeit wird seine männlich-traditionelle Berufsidentität in Frage stellen (siehe 3.3.2). Daß er seine "Aufgabe" nicht mehr erfüllen darf, wird ihm eher eine Krise bescheren, aus der er per Berufsarbeit wieder herausfinden will, anstatt daß er auf andere Arbeitsteilungsmodelle in seiner Familie hinwirkt.

Und die Auswirkungen durch die freigesetzte Zeit auf die Familie sind leider oft auch nicht fördernd in diesem Zusammenhang: Aus der Unzufriedenheit und entstehenden Abhängigkeit zur Partnerin reagieren nicht wenige Männer mit vermehrten Fluchttendenzen, Suchtverhalten (z.b. Alkoholismus), Aggressionen oder gar physischen Gewaltausbrüchen.

Was ich aber heute dennoch für wichtig halte, sind neben *Mitscherlichs* Grundgedanken zum verschwindenden Arbeitsbild des Vaters, gerade seine Ausführungen zur emotionalen Entfremdung zwischen Vater und Sohn. Zwar fällt dadurch einerseits der väterliche Berufsdruck zur Geschäfts- oder Hofübernahme für den Sohn weg (Entlastung), andererseits tritt an die Stelle die beschriebene Orientierungslosigkeit. *Hollstein* [1990, S. 137] spitzt dies dramatisch zu:

"Funktionäre, Sachbearbeiter und andere Spezialisten, die selber nur auf Anordnungen und Außenimpulse reagieren, sind weder in ihrem männlichen Leben noch in der Erziehung ihrer Kinder irgendwie in der Lage, Maßstäbe zu setzen, Weltanschauung zu vermitteln, Grundsätze vorzuleben, damit auch selber Vorbild zu sein".

Hier setzt auch *Bly* [vgl. 1993, S. 40-41] an, indem er beschreibt, wie aus dem mangelnden Kontakt zum Vater und der eintretenden Leere ein negatives Männerbild voller Mißtrauen bei den Söhnen entsteht. *Bly* fragt sich in diesem Zusammenhang weiter, wie der Sohn später eine gute Verbindung zu männlichen Energien und zu männlichen Autoritäten herstellen soll. *Hollstein* [vgl. 1990, S. 139] spricht weiterhin von innerlich kraftlosen Männern, die dadurch entstehen. Jeder Sohn beginnt heute neu, als hätte er keinen Vater gehabt, so zitiert *Hollstein Bodamer*.

An diese Gedanken knüpfe ich im besonderen an, wenn ich zu den Punkten 3.3.1 (Erziehungs- und Beziehungsmacht der Frauen), 3.3.2 (Berufsarbeit und öffentlicher Bereich) und 3.8 (Mangelnde männliche Identität der Väter) komme.

3.2 Die Weltkriege

Kaum war 1918/1919 der 1. Weltkrieg mit den vielen Toten aufgrund von Imperialismus, Handelskrieg und Nationalismus vorbei, ist es in Deutschland 14 Jahre später erneut zu einer (diesmal wesentlich extremeren) aggressiv-nationalistischen Führung unter *Adolf Hitler* gekommen. Neben den schwierigen Friedensvertrags- bedingungen von Versaille nach dem 1. Weltkrieg (1919), der damit zunehmenden politischen Regierungsunfähigkeit der Weimarer Rebublik (1919-1933) und der Weltwirtschaftskrise (1929-1933) ist für mich auch die symbolische und faktische Vatersehnsucht ein Grund für das Wiedererstarken eines streng hierarchischen Prinzips, welches in seiner diktatorischen, menschenverachtenden und patriarchalischen Form traurige Berühmtheit erlangen sollte. *Petri* [vgl. 1997, S. 24] geht bei den Ursachen für den Nationalsozialismus von einer Vaterabwesenheit durch den 1. Weltkrieg, einer bestehenden Autoritätshörigkeit und einer Idealisierung des Vater-Ersatzes in Gestalt des Führers *Hitler* aus.

"Beginnt man (...) mit der Geburt eines Sohnes 1920, kann man vermuten, daß sein Vater kurz zuvor aus dem ersten Weltkrieg nach Hause zurückgekehrt ist. Es wäre verständlich, wenn dieser nach dem langen Grabenkrieg an posttraumatischem Stress gelitten hätte, was aber hinter einer damals üblichen autoritären Haltung hätte verborgen werden können. Es ist zu fragen, wieviel Nähe und Intimität zwischen den Eheleuten in einer solchen Situation möglich sein konnte (...). Es ist auch zu überlegen, was ein Vater in einer solchen Situation seinem Sohn hätte mitgeben können. Als der Sohn 19 wurde, ergab sich 1939 für ihn die Gelegenheit in seines Vaters Fußstapfen zu treten: in den Krieg zu ziehen. Gerade durch den geringen Kontakt, den er zu seinem wortkarg gewordenen Vater haben konnte, mag er den Gang in den Krieg als eine Möglichkeit aufgefaßt haben, eine eigene 'männliche Identiät' zu gewinnen" [*Scharwiess*, 1995, S. 144].

Mitscherlich [vgl. 1969, S. 181-182] sieht *Hitler* und seine Gefolgsleute wegen deren Vaterlosigkeit unter dem Gesetz unaufschiebbarer und rücksichtsloser Triebwünsche. Sie besitzen keinen verläßlichen inneren Standort und keine ausreichende Sozialbildung, um sich zu erkennen und zu lenken. Der Typus, so *Mitscherlich*, sucht sein Heil in starken Phantasiebildungen eines omnipotenten Helden, die ihn von der

Wirklichkeit abkoppeln, bzw. er versucht, diese Allmachtsphantasien in der Wirklichkeit umzusetzen.

Auch Angst scheint hier ein zentraler Motor dafür zu sein, daß letztlich die Alternativen der Weimarer Rebublik verworfen wurden und sich die Mehrzahl der Deutschen für *Hitler* entschieden haben.

"Die Identifizierung mit dem 'Führer', mit den Massenidealen, die er einsetzt, ist jedesmal hintergründig ein von großer Angst begleiteter Vorgang der Zwangsanpassung (...) Verschärfung der Gehorsamsforderungen in der Gesamtgesellschaft führen dann zu massenhafter Regression auf diese Ebene des Dressatgehorsams. Die Orientierung bleibt starr vorurteilsgebunden, das Ich erschöpft sich in pseudologischen Begründungen" [*Mitscherlich*, 1969, S. 345/346].

Mit einer eminent-chauvinistischen Sturheit lenkte die deutsche Führung (aber auch Italien und Japan) das eigene Volk und die Mitwelt bis zur erzwungenen Kapitulation im Jahr 1945 in ein Meer aus ca. 30-55 Millionen Toten [zu den Geschichtsfakten vgl. *Brockhaus*, 1985, S. 973-977].

Die Schätzungen über die Anzahl der Toten gehen in der Literatur auseinander. Der männliche Anteil darunter muß aufgrund des ausschließlich männlichen Militärs viel größer sein als der weibliche oder der der Kinder. Im *Brockhaus* [vgl. 1985, S. 977] ist von 5,25 Millionen toten Deutschen die Rede. Auf mein Thema bezogen, müßten von den 5,25 Millionen, wenn noch die Zivilopfer (500.000) und andere Faktoren berücksichtigt werden, eigentlich mehr als die Hälfte männlich sein. *Höhn* [vgl. 1989, S. 195] spricht hingegen von 2 Millionen gefallenen Männern. Auf jeden Fall ist die Nachfolgegeneration der 2. Weltkriegs-Generation zwangsläufig von Vaterabwesenheit noch massiver betroffen, als es die Generation nach dem 1. Weltkrieg war. Was bedeutet, daß hier von einer großen generativen Störung der männlichen Erstidentifizierung, dem gänzlichen Fehlen eines Vorbildes, einer ausschließlichen Muttererziehung und einer mangelnden Mutterablösung der Söhne ausgegangen werden muß. Dies führt zu einer weitreichenden Verunsicherung der Söhne über die eigene männliche Identität.

"Der zweite Weltkrieg wird aber nicht eine Wiederholung des ersten. Der Krieg kommt in die Heimat, mit schrecklichen Bombennächten und viel Angst und Einsamkeit. Hierdurch müssen die Mütter zum einen noch mehr organisieren, als je zuvor (vielleicht mit einem gewissen Stolz?), zum anderen sind sie auch emotional grenzenlos überfordert. Klammern sie sich dann an ihre Söhne? Oder ziehen sie sich, ohne es zu wissen, stumm in einer riesigen Hilflosigkeit zurück? Manche mögen abwechselnd beides gemacht haben, so daß diese Jungen, die jetzt in der zweiten Generation ohne lebendiges Vaterbild dastehen (außer eines Fotos des uniformierten Vaters) auf sehr komplexe und unlösbare Weise an die Mütter gebunden werden" [*Scharwiess*, 1995, S. 145].

Nach 1945 kehrten, wie schon im Geschichtsteil erwähnt, einige Väter zurück. Mit resignativer Schuld und Leugnungen versuchten sie wieder Fuß zu fassen. Dies gestaltete sich sowohl für die Position des Familienoberhauptes als auch für den Kontakt zu den Kindern als schwierig:

"(...) und kannten genug Heimkehrer, um zu wissen, wie elend sie aussahen, aber als er (der Vater - der Verfasser) dann so vollkommen abgemagert vor uns stand, war das trotz allem ein Schock. Das Gesicht eingefallen und grau von den Bartstoppeln, altes Zeug am Leib, kaputte Stiefel- schrecklich! (...) und nannte ihn, wie man mir es gesagt hatte, 'Vater'. Und doch suchte ich die ganze Zeit eine zweite Person (...) Ich habe innerlich immer noch auf meinen Vater gewartet" [*Bruns* nach *Bode/Wolf*, 1995, S. 37-38].

In diesem Zitat drückt sich die ganze Überforderung bei Zuneigungserwartungen der Eltern und die ganze Fremdheit der Kinder gegenüber dem Vater aus.

Dazu kam noch, daß die Heimkehrer in der Wiederaufbauphase täglich sechs Tage die Woche 10-12 Stunden arbeiteten (im Beruf, bei der Nebentätigkeit wegen des Geldmangels und im privatem Aufbau) und somit als Väter wieder wenig präsent waren und sein konnten [vgl. *Bullinger*, 1994, S. 8].

Diese gemischten Gefühle und Erfahrungen werden die Söhne als spätere Väter, aber auch die Töchter als spätere Mütter an die eigenen Kinder weitertragen, und insbesondere deren Söhne werden das spüren. Hierdurch wird einsichtig, warum es dem Vater der nächsten Generation besonders schwer fiel, Vorbild zu sein. Wie kann er ohne psychologische Aufarbeitung etwas bieten, was er selbst kaum erfahren hat und was aufgrund seiner Geschlechtsrolle (der Außenorientierung) und gerade während der Berufsarbeit wenig vorgesehen ist?

3.3 Geschlechtsspezifische Arbeitsteilung

Die geschlechtsspezifische Arbeitsteilung stellt einen der wesentlichsten Gründe für die vaterlose Kultur dar. Deshalb vertiefe ich dieses Thema im Anschluß an eine allgemeine Betrachtung mit zwei Unterpunkten (3.3.1 und 3.3.2).

Wie schon im Geschichtsteil erwähnt, veränderten sich die Familienbedingungen mit Beginn des Industriezeitalters erheblich. Auch vorher, bzw. immer wieder in der Geschichte, gab es Arbeitsteilungen, die eine "Innen-Außen-Teilung" (=privat-öffentlich) der Geschlechter andeuteten, jedoch spitzte sich dies in der Folgezeit zu. Noch in der vorindustriellen Agrargesellschaft war für viele Menschen der Lebens- und Arbeitsschwerpunkt aller Mitglieder des "ganzen Hauses" am Lebensort. Das bedeutete, daß, obwohl nur der Hausvater handlungs- und geschäftsfähig nach außen war, sich die anfallenden Arbeiten auf alle Beteiligten bezogen.

"Mit der Industrialisierung kam der wesentliche historische Einschnitt: Die Familie verlor ihre Funktion als Arbeits- und Wirtschaftsgemeinschaft, statt dessen begann ein neues Verhältnis - das zwischen Arbeitsmarkt und Familie. In der ersten Phase waren es vorwiegend die Männer, die einbezogen wurden in außerhäusliche Erwerbsarbeit. Für sie galten nun die Imperative der Leistungsgesellschaft, wo nicht mehr die Gemeinschaft zählte, sondern die Einzelperson. Die Frauen dagegen wurden zunächst einmal auf Heim, Haushalt und Kinder, auf den sich neu herausbildenden Raum des Privaten verwiesen (so jedenfalls das Leitbild des aufstrebenden Bürgertums, das in Rechtsprechung, Bildungswesen, Philosophie usw. institutionell abgesichert wurde). Im Rahmen dieses Geschlechterverhältnisses, (...) ergab sich eine neue Form der Abhängigkeit: Die Frau wurde abhängig vom Verdienst des Mannes; er wiederum brauchte, um zu funktionieren und einsatzbereit zu sein, ihre alltägliche Hintergrundarbeit und Versorgung" [*Beck-Gernsheim*, 1994, S. 6].

Neben *Beck-Gernsheim* sprechen auch andere Autor/inn/en [vgl. z.B. *Rebstock*, 1993, S. 20] in diesem Zusammenhang von dem Entstehen der Geschlechtsrollenstereotype, als hätte es vorher überhaupt keine geschlechtspezifische Arbeitsteilung gegeben. Dies wirkt in seiner Totalität wenig überzeugend. Ich verstehe es eher als zunehmende Tendenz während dieser Zeit.

Die Veränderungen bedeuten, daß sich jetzt Männer vermehrt Verhaltensweisen wie Viel-Kraft-einsetzen, Gefühle kontrollieren und "Durchhalten" aneignen mußten. Schließlich verbrachten viele von ihnen 10-12 Stunden mit harter, dreckiger und lärmender Arbeit in den Fabriken (siehe auch im geschichtlichen Rückblick).

Und für die Frauen hieß das, vermehrt im Haushalt zu arbeiten und die Kinderversorgung und -erziehung zu übernehmen. Das zog eine Intimisierung und eine Emotionalisierung innerhalb der Familie nach sich. So entstanden die Gegensatzpaare aktiv-passiv, außen-innen, Vernunft-Gefühle und Stärke-Schwäche, die nun verstärkt ihre geschlechtliche Zuschreibung erfuhren [vgl. *Rebstock*, 1993, S. 22 und *Rünzler*, 1993, S. 24].

Ein weiteres Ergebnis dieser Veränderungen war auf jeden Fall, daß sich so die Lebensbereiche von Männern und Frauen voneinander entfernten und somit auch ihre Kommunikation nur noch eingeschränkt möglich war. Hier beginnt ein Entfremdungsprozeß zwischen den Paaren, der mit den Jahren immer größer wurde. Auch heute noch gilt oft, daß der Mann weiß nicht mehr, was in der Familie besprochen wird und versteht Zusammenhänge nicht, weil ihm Informationen und emotionale Bezüge fehlen, während die Frau keinen Bezug mehr zum Leben ihres Mannes außerhalb des Hauses hat und nicht mehr einschätzen kann, was er macht und wie die finanzielle Versorgung zustandekommt [vgl. *Jellouscheck*, 1996a, S. 43, S. 46/47].

Als Differenzierung sollte erwähnt werden, daß das bürgerliche Familienmodell in der Reinform natürlich nur vom Bürgertum selbst gelebt wurde. Die ärmeren Schichten konnten sich diese gänzliche Freistellung der Frauen von der Erwerbsarbeit nicht leisten (Das war erst sehr viel später auf breiterer Basis möglich, nämlich während und nach dem Wirtschaftswunder im Anschluß an den 2. Weltkrieg um 1960).

Im Bürgertum und bei den Arbeiterfamilien war der Vater weiterhin Familienoberhaupt, doch wurde neben der Entfremdung zur Frau auch der Kontakt zu den Kindern punktueller. Mit der strengen Pädagogisierung und der einsetzenden Schul-
pflicht bekam der Vater eine zunehmend repräsentative Funktion nach außen, innerhalb der Familie verlor er jedoch massiv an Einfluß.

Beim Adel verlief es anders. Dort wurde die Erziehungsaufgabe frühzeitig an Gou-
vernanten, Kindermädchen und Hauslehrer abgegeben [vgl. *Bode/Wolf*, 1995, S. 35].
Die Lebensweise des Adels, bzw. deren geschlechtsspezifische Arbeitsteilung genauer zu beleuchten, erscheint mir wegen seinem geringen Anteil an der Gesamtbe-
völkerung für diese Arbeit wenig sinnvoll.

Die Auswirkungen der beschriebenen Arbeitsteilung auf heutige Familien benennt
Jellouscheck [1996a, S. 111-112] sehr anschaulich:

"Er ist als Vater nicht präsent in der Familie. Wenn Väter überhaupt noch etwas ein-
bringen, sind es oft rudimentäre Reste von 'Recht und Ordnung', mit denen sie sich
aber meist nicht mehr durchsetzen, weil ihnen dazu die unangefochtene Stellung im
Familiengefüge fehlt. Oft haben sie schon gar nicht mehr den Anspruch, überhaupt
noch einen Einfluß darauf auszuüben. Sie haben dieses Feld kampflos an die Frauen
abgetreten. Das gesamte Familienleben wird zur Sache der Frau (...). Sie weiß über
alles Bescheid (...). Wenn der Mann nach Hause kommt und eingreifen will, greift er
mit Sicherheit daneben (...), versteht die Zusammenhänge nicht. Er wird (...) ein Ein-
samer in der Familie."

Insgesamt sehe ich die entstandene geschlechtsspezifische Arbeitsteilung in seiner
Zuspitzung als den "Tod der Familie" an. Damit meine ich, daß hier neben dem Entfremdungsprozeß von Mann und Frau, der Außenseiterstellung des Mannes in der
Familie auch massiv die Kinder leiden, die dadurch "zuviel" Mutter und "zuwenig"
Vater haben. Für mich sind hier "Nebeneinanderherleben", Scheidungen und Trennungen auch eine strukturelle Folge der immer noch zu starren geschlechtsspezifischen Arbeitsteilung am Ende des 20. Jahrhunderts.

3.3.1 Erziehungs- und Beziehungsmacht der Frauen

Anfangen möchte ich mit einem längerem, anschaulichen und autobiographischen Beispiel von *Peter Weiß* aus dem Jahre 1964, wo sowohl die Arbeitsteilung der Eltern, die Erziehungs- und Beziehungsmacht der Mutter als auch die bestehende Entfremdung aller Familienmitglieder zum Vater deutlich und sehr typisch beschrieben werden. Zu seinem Vater schreibt *Weiß*:

"(...) und im Leben dieses Mannes hat es Kontorräume und Fabriken, viele Reisen und Hotelzimmer gegeben, im Leben dieses Mannes hatte es immer große Wohnungen, große Häuser gegeben (...) immer die Frau gegeben, die ihn erwartete im gemeinsamen Heim, und es hat die Kinder im Leben dieses Mannes gegeben, die Kinder, denen er immer auswich, und mit denen er nie sprechen konnte, aber wenn er außer Hauses war konnte er vielleicht Zärtlichkeit für seine Kinder spüren, und Verlangen nach ihnen, und immer trug er ihre Bilder bei sich (...) sicher glaubte er, daß er bei seiner Rückkehr Vertrauen finden würde, doch wenn er zurückkam gab es immer nur Enttäuschung und die Unmöglichkeit gegenseitigen Verstehens. Es hat im Leben dieses Mannes ein unablässiges Mühen um die Erhaltung von Heim und Herd gegeben" [1985, S. 9].

An anderen Stellen heißt es weiter:

"Von meinem Vater wußte ich nichts. Der stärkste Eindruck seines Wesens war seine Abwesenheit" [S. 37].
"Sein Geschlecht blieb mir verborgen, nie hat er sich mir nackt gezeigt [S. 88].

Zur Sicht seiner Mutter findet er noch ganz andere Worte:

"Doch irgendwo lag die Vorahnung des Rufs, des Rufs der gleich erklingen, der über den Garten hin auf mich zurollen würde (...) Ich versuchte oft, mich anders zu nennen, doch wenn der Ruf meines einzigen Namens auf mich zuflog, schreckte ich zusammen, wie eine Harpune schlug er in mich ein, ich konnte ihm nicht entgehen (...) und dann fühlte ich die rasende ohnmächtige Wut, das Antoben gegen etwas Unangreifbares, gegen etwas unendlich Überlegenes, und dann wird mein Gestammel von einer unsichtbaren Hand erstickt. Da ist das Gesicht meiner Mutter (...) Das Gesicht nahm mich auf und stieß mich von sich. Aus der großen warmen Masse des Gesichts, (...) wurde plötzlich eine Wolfsfratze mit drohenden Zähnen (...) Früher als das Gesicht waren die Hände da. Sie packten mich, rissen mich in die Höhe, schüttelten mich, sprangen mir an die Ohren und ins Haar" [S. 16-18].

Etwas später dann seine Zusammenfasssung:

"Die Mutter wußte alles, konnte alles, bestimmte alles" [S. 21].

Und noch ein Ausschnitt zur mütterlichen Erziehungsmacht (und deren Delegation an den Vater):

"Auf das Drängen der Mutter hin, machte er sich zuweilen zu einer züchtenden Instanz, die seinem zurückhaltenden Wesen nicht entsprach. Wenn er nach der Arbeit nach Hause kam konnte es geschehen, daß die Mutter ihn mit dem Bericht meiner Schandtaten aufwiegelte (...) ich konnte sie dort vom Zimmer aus, in dem ich zur Strafe eingeperrt war, sehen (...) Während seines Arbeitens an der Tür schrie er mir schon drohende Worte zu (...) packte mich und legte mich über sein Knie. Da er nicht stark war, taten seine Schläge nicht weh. Qualvoll bis zum Brechreiz war nur die demütige Gemeinschaft in der wir uns befanden (...) Und weder wußte er, warum er mich schlug, noch wußte ich, warum ich geschlagen wurde" [S. 88-89].

Der Vater von *Peter Weiß* hat sich scheinbar als Ernährer in der Arbeitsteilung der Familie bewährt, doch zahlten er und seine Familie dafür einen hohen Preis. Trotz seines Mühens war die Entfremdung zur Familie immer da. Die Abwesenheit von ihm behinderte so seine Vorbildfunktion für den Sohn.

Da er aber nach außen und innen das Familienoberhaupt darstellen sollte und die züchtende Instanz für die Mutter nicht attraktiv war, fiel dies dem Vater zu, der nicht wußte, worum es ging und sich instrumentalisieren ließ. Sie entfachte den Streit, legte die Strafe fest, und danach arrangierte sie auch die Versöhnung. Vater und Sohn spielten die gegebenen Rollen. Wie sollen sich bei solchen Strukturen Vater und Sohn (zärtlich) annähern?

Außerdem wird aus den Beschreibungen seiner Mutter deutlich, wie ohnmächtig und ausgeliefert sich *Weiß* fühlt; kein Vater in Sicht, der eingreift und beide entlastet.

"(...) sieht *Stork* (1974) den Vater als Befreier des Kindes aus dem 'malignen' Beziehungszirkel der Mutter-Kind-Dyade. Der Vater hat also - und und dies gilt es festzu-

stellen - von Anfang an trennende und verbindende Funktion, und diese Rolle ver-
bleibt ihm, dramatisch sichtbar im Ödipuskomplex, zeit seines Lebens" [*Pohle-Hauß*,
1977, S. 19].

Sehr anschaulich beschreibt es auch *Corneaux* [1993, S. 29]:

"Der Vater ist der erste bedeutende andere, dem das Kind außerhalb des Mutterleibes
begegnet (...) Er wird die dritte Person in der Liebesgeschichte; er führt ein Element
der Trennung zwischen der Mutter und dem Kind ein. Seine Gegenwart selbst löst
einen Differenzierungsprozeß aus, denn in dem er seine Gattin beansprucht, setzt er
dem seligen Zustand der Symbiose ein Ende (...) 'Deine Mutter ist meine Frau und
sie liebt mich auch!', sagt er. Das Kind spürt, daß es selbst nicht länger das einzige
Objekt der Begierde ist. Der Vater verkörpert somit das Realitätsprinzip und das
Ordnungsprinzip in der Familie".

Letztendlich bedeutet der beschriebene Weg von der Dyade zur Triade für alle Familienmitglieder eine Entlastung. Das Kind kann mit seinem Ärger über den einen
Elternteil zu dem anderen Elternteil gehen, und die Partner haben neben dem Teilen
der Verantwortung auch die Möglichkeit, ihren das Kind betreffenden Ärger zu arti-
kulieren [vgl. auch *Figdor*, 1994, S. 63/64 u. 89].

Natürlich entsteht erstmal durch Schwangerschaft, Geburt und Stillen eine intensive-
re Mutter-Kind-Bindung, doch dies muß nicht so bleiben. Auch *Petri* [vgl. 1997, S.
160-163] beschreibt die (zu) enge Mutter-Kind-Dyade als "keine naturgesetzliche
vorgegebene Konstante", die von vielen Faktoren abhängig ist und vor allem auf den
Vater verweist. Wenn dieser von Anfang an präsent ist oder sich früh einschaltet,
verteilt sich die innerfamiliäre Bindung und Macht nicht so polar zugunsten der
Mutter.

Innerfamiliär ist in unserer Kultur die Familienoberhauptposition des Vaters ausge-
höhlt, die Mutter trifft die familiären (Alltags-)Entscheidungen. Ich gehe davon aus,
daß das Literatur-Beispiel von *Weiß* kein Einzelfall ist, sondern dies eher die Regel
in Familien war und oft noch ist.

Jellouscheck [vgl. 1996a, S. 46/47] spricht in diesem Zusammenhang etwas vereinfacht auch von einem äußeren Patriarchat und einem häuslichen Matriarchat, welches seinen Anfang nach der Industrialisierung mit der geschlechtsspezifischen Arbeitsteilung nahm.

Sowohl *Schnack/Neutzling* [vgl. 1994, S. 76-86] als auch *Bode/Wolf* [vgl. 1995, S. 164-183] nähern sich über Konstruktionen von Vater-Typen den Gründen der Vaterabwesenheit in den Familien. Es fällt auf, daß fast alle dieser Vater-Typen innerfamiliär wenig Einfluß haben. Die Frage ist, warum viele Männer das akzeptieren. Dafür verantwortlich, halte ich den emotionalen und kommunikativen Vorsprung der Frauen auf der Beziehungsebene, der mit ihrer weiblichen Sozialisation zusammenhängt:

- Die ihnen vermittelte Zuständigkeit für die Gefühlsebene in der Familie, aber auch
  die für gute Atmosphäre und Gespräche überhaupt,
- die sich dadurch ständig weiterentwickelnde Menschenkenntnis von ihnen durch
  die Kontaktmenge
- und die ebenso entstandene Vermittlungsbefähigung für Unstimmigkeiten.

Ebenso hinderlich ist für Männer die hohe Koppelung von männlicher Identität an den Beruf, ihre Angst in Bezug auf mangelnde Fähigkeiten im Umgang mit Kindern und die negative Reaktion des Umfeldes (z.B. für "unmännlich" gehalten zu werden), wenn sie als Männer öffentlich Erziehungsaufgaben übernehmen [vgl. *Ax*, 1998, S. 7].

Ein weiterer Grund für das fehlende Engagement der Väter ist in meinen Augen die vorkommende Partnerin-Mutter-Übertragung von ihnen. Diese Verwechslung von der Partnerin mit der eigenen Mutter sorgt für eine Aktivierung alter Hierarchien (Mutter-Kind-Machtgefälle), damit zusammenhängenden Ängsten (vor Strafen) und ebenso für Schuldgefühle allgemein ("War ich nicht gut genug als ihr Junge?"). Dies ruft entweder angepaßtes Verhalten oder Trotz gegenüber der Partnerin hervor. In beiden Fällen bedeutet es Rückzug des Vaters aus der Familie [vgl. auch *Jellou-scheck*, 1996b, S. 100].

Eine weitere Sichtweise auf die väterliche Abwesenheit bietet *Figdor* [vgl. 1994, S. 83-84] an:

Mütter können mit einem alleinigen Besitzanspruch auf das Kind reagieren und den Vater ausschließen. Dieser wird eifersüchtig im doppelten Sinne, denn neben dem mangelnden Kontakt zum Kind, wird oft auch die partnerschaftliche Liebe und Sexualität nicht mehr mit ihm gelebt. Hier reagieren beide auf kindlicher Ebene (Regression), die Mütter mit ihrer Liebe und Sexualität, wo jetzt die Beziehung und der Körperkontakt zum Kind ausreicht und der Mann, der mit dem Kind in Konkurrenz geraten kann und die Partnerin wieder in der Mutter-Übertragung sieht. Auch hierdurch ist ein väterlicher Rückzug möglich.

Petri [vgl. 1997, S. 163-165] macht noch auf andere Gründe für die Abwesenheit des Vaters in der Familie aufmerksam. Er sieht einen Ohnmachtzustand aufgrund von Gebär- und Brustneid bei Vätern. Das Wunder von Schwangerschaft und Geburt, die Versorgung durch die Brust, all diese Vorgänge lassen Väter sich "klein" vorkommen. *Petri* spricht hier von einer großen weiblichen Potenz, wogegen die Potenz des Mannes verblaßt. Da sich Kinder in der Regel mit dem stärkeren Part in der Familie identifizieren, erfährt die Mutter Verstärkung, während die Vaterposition weiter geschwächt wird. So wird, nach *Petri*, der Vater dann nicht mehr bei den Entscheidungen beteiligt und nimmt mit einer dieses akzeptierenden Haltung schließlich eine Randposition in der Familie ein.

Das, was *Petri* mit der Identifizierung beschreibt, aber nicht geschlechtsspezifisch aufgreift, scheint mir wichtig. Bei Mädchen wirkt es sich anders aus als bei Jungen. Für Jungen bedeutet dies eine lang anhaltende Identifikation mit der Mutter, und das hat wiederum negative Auswirkungen auf ihre männliche Identität, ihre Vater-Beziehung und ihr Männerbild allgemein. Gleichzeitig jedoch spürt der Sohn seine kindliche Ohnmacht gegenüber der Mutter und er muß, je weniger er seine Geschlechtlichkeit empfindet, alles sogenannt Weibliche abwerten. Dies hat eine hohe innere Zerissenheit zur Folge, die sich in der traditionellen Familie nicht auflösen wird und nach Kompensation "schreit".

Darauf werde ich im Teil 4 der Arbeit, wo es explizit um die Auswirkungen vaterloser Kultur geht, noch genauer eingehen.

"'Abgeben' ist hier das Gebot. Eine Frau, die mehr sein will denn ausschließlich Mutter, muß ihre Herrschaft teilen (...) Das ist schwer; und deshalb klammern sich viele Mütter an ihre Rolle wie an ein Privileg, das man ihnen wegnehmen will" [*Dieckmann*, 1998, S. 11].

Ein weiterer Beleg [vgl. *Bundesminesterium für Familie, Senioren, Frauen und Jugend*, 1996, S. 49-51] hierfür ist, daß erstmal 72% der Frauen allgemein den männlichen Erziehungsurlaub begrüßen. Bei der theoretischen eigenen Betroffenheit sinkt die Zahl innerhalb der Untersuchung um 20% auf 52% ab. Und weil solche Betrachtungen in einer Befragung theoretischer Natur sind, ist davon auszugehen, daß die Realität diese Zahlen noch weiter nach unten korrigieren würde, so daß höchstens noch ein Drittel der Frauen tatsächlich den Erziehungsurlaub der Männer begrüßen würden. Und dies hat nicht nur etwas mit der für Frauen unattraktiveren Berufswelt zu tun, sondern vielmehr mit ihren Erwartungen an Männer bzw. ihrem Männerbild.

3.3.2 Berufsarbeit und öffentlicher Bereich (Die Machtzentren der Männer)

Wer heute in Deutschland nicht gerade im pädagogischen oder sozialen Bereich bzw. beim Staat arbeitet, wo auch Halbtagsstellen oder flexible Arbeitszeiten angeboten werden, muß sich entscheiden: Entweder ganztags arbeiten oder geringfügigen Beschäftigungen nachgehen (Dies ist meist aus ökonomischen Gründen allerdings keine freie Entscheidung!). Dazwischen gibt es nicht viele Wahlmöglichkeiten, schon gar nicht inklusive Arbeitsvertrag und sozialer Absicherung. Seit Jahrzehnten werden andere Modelle von Arbeitgeber/innen und Regierungen mit ökonomischen oder standortpolitischen Argumenten in gewinnorientierter Kapitalismus-Logik blockiert oder sind letztlich für veränderungswillige Angestellte mit beruflicher Stagnation oder gar Entlassung verbunden.

Die Arbeitgeber/innen orientieren sich nicht an Kindern und an der Familie, um eine Vereinbarkeit von Familie und Beruf für beide Geschlechter zu ermöglichen. Arbeitszeitverkürzung, die Einrichtung von Halbtagsstellen oder Betreuungseinrichtungen innerhalb der Arbeitsstellen sind möglich, wurden und werden aber kaum umgesetzt [vgl. *Pilgrim*, 1983, S. 120]. *Hoffmann* [1998, S. 38] nennt dies "die Logik der arbeitsmarktspezifischen Vergesellschaftung", die gleiche Möglichkeiten für Männer und Frauen verhindert.

Das hat auch Auswirkungen auf die Familien; diese müssen sich zwangsläufig in diesem familienfeindlichen Rahmen festlegen, denn eine "soziale Bewegung", die neue Arbeits-Modelle durchsetzt, gibt es nicht. Wer bleibt mehr zu Hause und kümmert sich um die Kinder, und wer ist Hauptverdiener/in? Bei der Frage entscheiden sich selbst Paare, die eigentlich nicht mit der klassischen geschlechtsspezifischen Arbeitsteilung leben wollen, aufgrund von besseren Aussichten für Männer auf dem Arbeitsmarkt und aufgrund von "durchkommenden tradierten Mustern", für die übliche gesellschaftliche Variante: Der Vater in den Außenbereich, die Mutter in den Innenbereich; wenn auch mit geringen Abweichungen wie z.B. der geringfügigen Beschäftigung von ihr und/oder daß der Vater einen Tag die Woche für die Erziehung der Nachkommenschaft zuständig ist.

Wer aber erstmal aus der Berufsarbeit ausscheidet (Kindeserziehung) und später wieder einsteigen will, sieht sich wegen der rasch wandelnden Arbeits- und Produktionverhältnisse schnell im Abseits und "fällt raus".

Van den Boogaart schreibt von der politisch konservativen Gefahr, daß mit moralischen Reden die Mütter aus der Berufsarbeitswelt wieder in die Familie zurückgedrängt werden sollen, um alte Zustände wiederherzustellen, ohne sich den Veränderungen innerhalb der Geschlechterrollen und Wünschen der Menschen zu stellen [vgl. 1987, S. 98-99]. Dieser konservative Gedanke entsteht vor allem wegen der wirtschaftlichen Rezession, der fortschreitenden Technisierung, dem damit zusammenhängenden Arbeitsplatzabbau und der hohen Konkurrenz um die verbleibenden Arbeitsplätze.

Es erscheint absurd, daß Männer als Träger der Macht in Berufsarbeit und Öffentlichkeit durch ihre Untätigkeit und Unflexibilität sich selbst, ihren Kinder, ihrer Beziehung zur Partnerin und somit auch gesellschaftlich anderen Familien schaden. Denn die (meist männlichen) Arbeitgeber/innen bieten, wie beschrieben, wenig Alternativen zur Vollzeitarbeit an und auch die Nachfrage, bzw. die Akzeptanz neuer Regelungen seitens der Männer ist unzureichend. Sobald von Einkommensverlusten die Rede ist, stoßen solche Konzepte bei Männern und bei Frauen in traditionellen Familien eher auf Vorsicht oder Ablehnung.

Auch hier kommt hinzu, daß einige Frauen den Mann als Konkurrenz in der Erziehung nicht unbedingt wünschen [vgl. *Fthenakis*, 1985, Bd. 2, S. 216-224].

Die Regelungen von Berufsarbeit sorgen also nicht alleine für ein ungleiches Geschlechterverhältnis wie *Hoffmann* behauptet [vgl. 1998, S. 35-38] und somit für eine strukturell bedingte vaterlose Kultur, sondern die Macht der traditionellen Werte, die inneren Widersprüche der Geschlechter, die Berufsidentität des Mannes und nicht zuletzt der Kampf der Geschlechter um einseitigen Machtgewinn haben dabei ebenfalls großen Einfluß.

Die Gründe für die gesellschaftliche und männliche Unflexibilität bei Alternativen zur Vollarbeitszeit sieht *Petri* [1997, S. 59-75] besonders in der starken Verknüpfung von Beruf und männlicher Identität.

"Die Berufsidentität des Mannes als von Kindheit an verinnerlichter Lebensauftrag war, ist und wird immer das Zentrum sein, auf das er seine Hauptidentität begründet" [*Petri*, 1997, S. 60].

50

Dies zunächst veraltet klingende Konzept wird von ihm ausführlich erklärt. *Petri* beginnt seine Erklärungen hierzu in der Zeit des Paläolithikums (siehe im geschichtlichen Rückblick), wo viele der späteren väterlichen Funktionen noch von anderen wahrgenommen wurden und die Aufgabe des Mannes im Außen und im Schutz der Stammesgruppe lag. Natürlich war es wichtig für Männer, ein nützliches Mitglied der Gemeinschaft zu sein. Hieraus zog er schon immer Selbstwertgefühl und soziale Anerkennung, so *Petri*. Auch heute ist es noch so: Die Sozialisation der Jungen läuft hauptsächlich auf die Berufsarbeit zu, während dies für Mädchen grundsätzlich anders ist (=Mutterschaft und Familie).

Weiterhin weist *Petri* auch auf die überschüssigen Triebkräfte der Männer hin, die optimal durch Sublimation zur "Beherrschung der Natur" und zur Schaffung von Gemeinwohl transformiert wurden:

"Die Männer befinden sich in einem ständigen Zustand sexueller Unruhe (wegen der sporadischen sexuellen Befriedigung durch die Frau und deren Heiligkeit und Unberührbarkeit während der Menstruation - der Verfasser), sie müssen mit dem Kribbeln der Hormone leben (...) Die Männer wissen, daß sie sexuell Verbannte sind (...) Die Frauen werden nicht durch den eigenen aufsässigen Leib über sich hinausgetrieben. Die Männer hingegen sind aus dem Gleichgewicht. Sie müssen streben, verfolgen, werben oder erringen. Männliche Aggressivität und Lustsuche sind die energiezeugenden Kulturfaktoren" [*Paglia* nach *Petri*, 1997, S. 64].

Petri plädiert für einen Geschlechter-Diskurs, der den Menschen als eine Einheit aus biologischen, seelischen, geistigen und sozialen Kreisläufen versteht und nicht Teile davon abspaltet, was er einigen sozialwissenschaftlichen und politischen Theoretiker/inne/n vorwirft.

Durch die kulturschaffenden Leistungen lassen sich sowohl destruktive Aggressionen verarbeiten als auch der Gebärneid überwinden:

"Handwerker bohren Löcher in Holz, Stein, Beton, und Stahl, sie hämmern, schrauben, fräsen, hobeln, benutzen Brecheisen und Sägen, baggern die Erde auf und verrichten viele andere Tätigkeiten, die von der Psychoanalyse oftmals als sexuellsymbolische Ersatzhandlungen gedeutet werden (...) Die Herstellung eines eigenen Produktes in welcher Form auch immer, schafft in der Phantasie ein Äquivalent für das Defizit, das der Mann gegenüber der Frau erlebt" [*Petri*, 1997, S. 68].

Ausdruck dessen ist auch ein Teil der Konkurrenzgesellschaft und ihr Anreiz, so *Petri*. An diesem Punkt sehe ich zwei Gefahren, die eine ist Überkompensation durch Arbeit, die andere heißt Arbeitslosigkeit. In beiden Fällen bricht das negative Potential auf und es kommt zu Eigen- und Fremdschädigungen.

Insgesamt verstehe ich die Ausführungen von *Petri* nicht als Dogma, daß der Mann in die Berufsarbeit und nur in die Berufsarbeit gehört, vielmehr sehe ich darin ein psychologisches Motiv für eine Orientierung nach außen. Dies trägt bei einem extremen Ausleben auch zur vaterlosen Kultur bei.

In Bezug auf die Überkompensation durch Arbeit und die Arbeitslosigkeit kommt es zu Folgeschäden, die wiederum Auswirkungen auf den Vater-Sohn-Kontakt bzw. die vaterlose Kultur haben. Kranke oder tote Väter können Vaterschaft nur noch wenig bzw. gar nicht mehr wahrnehmen.

"Männer sterben acht Jahre früher als Frauen.
Männer bringen sich dreimal so häufig um wie Frauen.
75% aller Mordopfer sind Männer.
In Kindheit und Jugend ist die Sterberate von Jungen viel höher als die der Mädchen.
Zwei Drittel aller Schulwiederholer sind Jungen.
80% aller Todesfälle von Jungen im Alter zwischen 15-24 Jahren ereignen sich durch Unfall, Selbstmord oder Totschlag.
Vier- bis fünfmal häufiger sterben Männer an Bronchitis und an Asthma als Frauen.
Doppelt soviele Männer sterben an Leberzirrhose und Bluthochdruck als Frauen.
Tuberkolosekliniken haben 150% mehr männliche Patienten als weibliche.
Herz- und Kreislaufkrankheiten sind vor allem Männerkrankheiten"
[*Hollstein*, 1992, S. 53].

Frauen sind in der Berufsarbeit mit genausovielen innern Widersprüchen konfrontiert wie Männer in der Erziehungsarbeit (Siehe 3.3.1). Zum Beispiel bevorzugen laut Statistik 27% der Frauen einen männlichen Chef [vgl. *Bundesminesterium für Familie, Senioren, Frauen und Jugend*, 1996, S. 59-62]. Desweiteren sind viele Frauen nicht bereit, dreckige und gefährliche Berufe, wie Bauarbeiter, Soldat, Kanalarbeiter,

Müllmann, Seemann, Stahlkocher oder Sargträger auszuüben [vgl. auch *Farrell*, 1995, S. 129-149]. Auch streben nur wenige Frauen eine 60-80 Stunden-Woche in einer Führungsposition an und sind willens, den gesundheitlichen Preis für die berufliche Karriere zu bezahlen.

3.4 Scheidungen, Trennungen und Sorgerechtsregelungen

Laut Statistik [*Spiegel* 47/1997, S. 88] gab es 1996 2.279.000 alleinerziehende Frauen im gesamten Bundesgebiet (allerdings inklusive Alleinerziehender in einer nichtehelichen Partnerschaft).

Dem Kinder- und Jugendhilfegesetz [vgl. *Bundesminesterium für Familie, Senioren, Frauen und Jugend*, 1997, S. 11-13] sind weitere Zahlen zu entnehmen:

- 15% Alleinerziehende gab es 1995 unter den Familien.

- 14% der Kinder erlebten vor ihrer Volljährigkeit die Scheidung der Eltern (1995).

- 54,7% minderjährige Kinder waren von den 169.425 Ehescheidungen 1995 betroffen.

Wie in fast allen europäischen Ländern hat sich auch in Deutschland seit den siebziger Jahren die Zahl der Ehescheidungen massiv erhöht [vgl. *Höhn*, 1989, S. 200-201]. Im Vergleich von 1970 bis 1985 ist eine Verdoppelung der Scheidungszahlen eingetreten. Kinderlose Paare werden hierbei häufiger geschieden als Paare mit Kindern. Das bedeutet für Paare mit Kindern, daß 100.000 minderjährige Kinder betroffen sind, von denen allerdings fast die Hälfte in Stieffamilien aufwächst. 1994 waren es 133.488 Kinder [vgl. *Bundesmineserium für Familien, Senioren, Frauen und Jugend*, 1997, S.13]. Leider gibt es wegen der Erfassungsschwierigkeiten keine Statistiken über die Trennungszahlen der nichtehelichen Lebensgemeinschaften. Es läßt sich aber mit Sicherheit davon ausgehen, daß dadurch insgesamt die Trennungszahlen höher ausfallen.

Höhn geht bei den Scheidungszahlen, ähnlich wie *Beck-Gernsheim* und andere Autor/inn/en, von einer Scheidungsrate von 25-33% aus. Dem widerspricht *Burkart* deutlich und kommt für jeden Eheschließungsjahrgang auf Zahlen unter 25% (siehe im geschichtlichen Rückblick).

"Von einer Gefährdung dieser Insitutionen (Ehe und Familie - der Verfasser) kann solange nicht die Rede sein, wie die meisten der geschiedenen Personen wieder heiraten (Folge-Ehe) und die Heiratsneigung der Ledigen groß bleibt. Zwar ist in der BRD der Prozentsatz der Geschiedenen, die eine Folge-Ehe eingehen, sowie der Anteil der Erst-Ehen in den letzten 20 Jahren rückläufig. Aber noch immer entschließen sich fast zwei Drittel der geschiedenen Männer und Frauen zu einem neuen Ehebund und man schätzt, daß nur 15% der Frauen und 25% der Männer zeitlebens ledig bleiben" [*Rottleuthner-Lutter*, 1989, S. 608].

Es kann also weiter von der Ehe als vorherrschende Beziehungsform trotz Wandel ausgegangen werden, zumal sich Statistiken innerhalb von knapp 10 Jahren wenig verschieben.

Laut *Rottleuthner-Lutter* sind die sozialen und ökonomischen Zwänge für die Aufrechterhaltung einer Ehe durch Urbanisierung, Möglichkeiten der Geburtenkontrolle, Liberalisierung des Sexualverhaltens und durch den Ausbau der staatlichen Altersversorgung bzw. des Sozialstaates allgemein, stark minimiert worden. Der Grund für die Ehe wäre also in erster Linie die emotionale Bindung, die Liebe zwischen den Menschen und erst in zweiter Linie die Tradition und die Sicherheit für die Kinder. Und wenn diese Liebe erloschen ist, stellt Scheidung eine Problemlösung für die Partner dar, von der die Kinder massiv betroffen sind, aber wenig Einflußmöglichkeiten haben [vgl. 1989, S. 608]. Hier vergißt die Autorin das staatliche Interesse einer gesicherten menschlichen Reproduktion, wofür die (monogame) Ehe auch geschaffen wurde, also kann Liebe nicht der einzige Grund für die Ehe sein.

Rottleuthner-Lutter [vgl. 1989, S. 609-610] spricht von drei Scheidungsbooms in Deutschland; dem ersten nach dem 1. Weltkrieg aufgrund von Industrialisierung, Bevölkerungswachstum und Zunahme der Frauenerwerbstätigkeit, dem zweiten während und nach dem 2. Weltkrieg durch Rassengesetze und der Eheschließung im Krieg bzw. der Entfremdung durch den Krieg und dem dritten Boom ab 1965 durch die Einschränkung der ökonomischen und moralischen Zwänge. Mit dem eingerichteten Familiengericht und der Scheidungsreform von 1977 sank zunächst die Scheidungsrate wieder (Das Zerrüttungs- statt dem Verschuldungsprinzip wurde eingeführt. Denn um sich überhaupt scheiden-lassen zu können, galt beim Verschuldungsprinzip, daß einer Person eine schuldhafte Eheverfehlung nachgewiesen werden mußte).

Als weitere Einflußfaktoren in bezug auf die Scheidungsgründe zählt *Rottleuthner-Lutter* [vgl. 1989, S. 611-614] das frühe Heiratsalter, die ersten zwei bis sieben Ehejahre, unterschiedliche Konfessionen, Stadt-Land-Unterschiede, Kinderzahl, soziale Schicht, Einkommen, Bildungsniveau, Berufspositonen und Scheidungen in der Herkunftsfamilie auf.

Als subjektive Gründe werden inzwischen meistens sexuelle Probleme und/oder eheliche Untreue angegeben. Weiterhin fällt auf, daß Gründe weniger bei sich selbst gesucht werden [vgl. *Rottleuthner-Lutter*, 1989, S. 615].

Für die Erwachsenen, aber gerade für die betroffenen Kinder (mindestens 10% der Gesamtkinderzahl) bedeutet dies einen komplexen Veränderungsprozeß, bei dem das Kindesalter, das Geschlecht und der Trennungsverlauf eine große Rolle spielen. Über die Auswirkungen von Trennungen auf die Kinder, deren Symptome und Leiden, aber auch über die Voraussetzungen für einvernehmliche Trennung ohne traumatische Erfahrung für die Kinder schreibt *Figdor* ausführlich [z.B. 1994].

Es ist nicht nur die Trennung an sich und die Zeit danach, die in den meisten Familien für (tendenzielle) Vaterlosigkeit sorgt, sondern die Zeit davor spielt ebenfalls eine entscheidende Rolle: Denn der Vater zieht sich eher wegen Entfremdung zur Partnerin und seiner schlechteren Verankerung in der Familie zurück, als daß er um aktive

Vaterschaft bemüht ist. Hinzu kommt das nachteilige Sorgerecht für Väter nach einer Trennung, besonders für die Nichtverheirateten.

In ca. 90% der Fälle erhält die Mutter das alleinige Sorgerecht für die Kinder [vgl. *Figdor*, 1994, S. 55 und *Fthenakis*, 1985, Bd. 2, S. 238]. Für eine Trennung im Streit bedeutet das, daß der Frau die Möglichkeit gegeben wird, sich mit Hilfe des Sorgerechts durch Vorenthalten der Kinder am Ex-Partner zu rächen.

Die Väter erleben so die Trennung von der Partnerin und den Kindesverlust auf einmal, was eine große Kränkung der männlichen Identität darstellt. Akzeptiert der Vater dies, hat er nur noch unter der Kontrolle der Ex-Partnerin ein demütigendes Besuchsrecht und fühlt sich "symbolisch kastriert" [vgl. *Figdor*, 1994, S. 172-173].

"Noch vor wenigen Jahren hatte der Vater nur dann eine Chance, das Sorgerecht für die gemeinsamen Kinder zu bekommen, wenn eine schwere psychische oder physische Erkrankung der Mutter vorlag oder wenn die Mutter aufgrund krimineller Handlungen oder anderen Verfehlungen als Mutter disqualifiziert war" [*Fthenakis*, 1985, Bd. 2, S. 241].

Der Vater mußte also zu Dikriminierungsvorwürfen übergehen, wenn er das Sorgerecht wollte und keine der oben genannten Einschränkungen der Mutter vorlagen.

Abgesehen davon, daß viele Männer scheinbar freiwillig oder einvernehmlich das Sorgerecht an die Ex-Partnerin abtreten, ist hier trotzdem das Gesetz zur Gleichberechtigung von Mann und Frau von 1957 zum Nachteil der Männer nicht erfüllt. Noch immer wird den Vätern die Kindeserziehung (gerade die der ersten sechs Jahre) von Gesetzgebung, Rechtsprechung, Institutionen, Familienrichter/inne/n, Sozialarbeiter/inne/n, Wissenschaftler/inne/n, Müttern und auch von einigen Vätern sich selbst nicht ausreichend zugetraut. Kindliche Bedürfnisse werden hier sehr selten betrachtet. *Fthenakis* beschreibt dies als strukturelle und verfahrensmäßige Diskriminierung, wo trotz gesellschaftlicher Veränderungen verstärkt alte Rollenmuster und Arbeitsaufteilungen zwischen den Geschlechtern greifen, die die Mutter als zuständige Erziehungsinstanz sehen [vgl. 1985, Bd. 2, S. 238-248].

Und auch nach der Reform des Kindschaftsrechts am 1. Juli 1998 ist eine Gleichberechtigung nicht vollständig erreicht. Das Umgangsrecht für den nicht sorgeberechtigten Part (also meist den Vater) ist erweitert worden, bzw. das Kind hat jetzt ein Anrecht auf Umgang mit beiden Elternteilen nach der Trennung. Auch ist ein gemeinsames Sorgerecht installiert worden, welches jedoch von der Zustimmung der Mutter abhängig ist. So ist ein unverheirateter Vater, dessen Partnerin das gemeinsame Sorgerecht abgelehnt hat, nach der Trennung immer noch benachteiligt, weil der Ex-Partnerin das alleinige Sorgerecht viel eher zugesprochen wird als ihm [vgl. *Die Tageszeitung/Dribbusch*, 25.9.1997, S. 3 und *Von Quillfeldt*, 1998, S. 13].

Einige Väter-Initiativen sehen in dem neuen Recht noch immer eklatante Verstöße gegen geltendes Recht:

"Die Tatsache der fehlenden Gleichstellung von Kindern aus ehelichen und nichtehelichen Gemeinschaften verletzt nicht nur Artikel 6 des Grundgesetzes (Absatz 2 und 3 sind wohl gemeint - der Verfasser). Sie verstößt auch gegen internationales, von der Bundesrepublik ratifiziertes Recht (Europäische Menschenrechtskonvention vom 4.1.1959 BGBl. 1992 II S 122; Internationaler Pakt über die bürgerlichen und politischen Rechte vom 19.12.1966; UN-Kinderrechtskonvention vom 20.1.1989)" [Flugblatt der *Selbsthilfegruppe "Männer und Scheidung"*, 1998].

Und auch dem *Spiegel* war das Thema eine Titelgeschichte wert [Heft 47/1997], und *Matussek*, einer der *Spiegel*-Autoren, wird seitdem nicht müde, die Mißstände undifferenziert anzuprangern [vgl. 1998].

Ein erstaunlicher Wechsel fand im 20. Jahrhundert statt, wenn bedacht wird, daß bis ins 19. Jahrhundert hinein der Vater fast das alleinige Erziehungs- bzw. Eigentumsrecht hatte. Und auch nach Einführung des Bürgerlichen Gesetzbuches 1900 war in Deutschland die elterliche Gewalt noch beim Vater; dies wurde erst 1953 außer Kraft gesetzt und 1957 zugunsten der gemeinsamen elterlichen Sorge geändert [vgl. *Fthenakis*, 1985, Bd. 1, S. 13-16].

3.5 Reproduktionsmedizin

Als fünften Grund für die vaterlose Kultur weise ich im folgenden auf die Reproduktionsmedizin hin.

Es gibt Bestrebungen von einigen Männern und Frauen, sich der Allmachtsphantasie der Selbstreproduktion hinzugeben, in der das Gegengeschlecht nur noch als Instrument für die Fortpflanzung benötigt wird. Meistens sind es Männer, die an einer künstlichen Gebärmutter forschen, während Frauen sich aus dem Reagenzglas der Samenbank befruchten lassen. Dabei kommt es zu Grenzüberschreitungen, deren Folgen noch nicht abzusehen sind und die keinesfalls dem Kinde dienen.

Am Beispiel der künstlichen Befruchtung müßte noch unterschieden werden, ob ein Paar sich dafür entscheidet oder eine Frau einen Alleingang plant. Grundsätzlich ist zu fragen, ob dieser Vorgang nicht zu stark von der "natürlichen" Fortpflanzungsform abweicht, die Betreffenden das Schicksal nicht tragen müßten oder Adoption nicht eine sinnvollere Alternative wäre. Aber diese Überlegungen scheitern häufig am Egoismus der Entscheidungsträger/innen; dabei geht es scheinbar nicht um Versorgung eines Adoptiv-Kindes, welches Eltern brauchen könnte, sondern nur um den eigenen Egoismus.

Auch der Anteil der Ärzte, Ärztinnen und Samenspender an der Entwicklung ist zu problematisieren. Wird hier "Gott gespielt", sind einige dem Größenwahn verfallen?

In Deutschland sind Samenspenden für Alleinerziehende nicht erlaubt, anders als in den USA, wo das Beispiel der Schauspielerin *Jodie Foster* Anfang 1998 in die Schlagzeilen geraten ist. Sie hatte sich die männlichen "Zutaten" für ihr Kind aus einem "biogenetischen Heimwerkerkatalog" ausgesucht: 1,90m groß, schwarze Haare, gutaussehend, IQ von 150 und Doktor der Naturwissenschaften. Frau *Foster* erklärte, daß ihr noch etwas fehle für den Sinn des Lebens: eine Schwangerschaft und ein Kind. Sie bezeichnet sich als unabhängig, hatte nie längere Liebesbeziehungen und wollte sich nicht "reinreden lassen" von einem Mann.

Neben einer übersteigerten Egozentrik wird vor allem dem Kind der Vater bewußt vorenthalten. Sie nennt sich unabhängig; eine andere Bezeichnung dafür wäre zum

Beispiel Beziehungsunfähigkeit, die für eine werdende Mutter eine schlechte Voraussetzung darstellt, wo doch die Erziehungsinhalte weitgehend auf Beziehung und Verantwortung aufbauen. Dem Kind wird offensichtlich die überfordernde Aufgabe zugewiesen, für die Mutter Erfüllung zu sein. Mögliche psychische und physische Folgeprobleme lassen sich hier schon erahnen:

- unaufgelöste Mutter-Kind-Symbiose,

- die ständig wiederkehrenden Fragen des Kindes nach dem Vater,

- starker Erwartungsdruck,

- starke Identitätsprobleme (wenn es ein Junge wird),

- Suche nach Vaterersatzfiguren,

- bei Jungen starke Abwertung des "Weiblichen",

- im schlimmsten Fall Krankheiten,

- Kriminalität oder

- Gewalttätigkeit

(Zu den Begründungen für diese Aufzählung siehe in Teil 4 der Arbeit bei den Auswirkungen der vaterlosen Kultur).

Kinder brauchen für ihre Entwicklung zum reifen Menschen mit ausgewogener Geschlechtsidentität beide Elternteile, bzw. Vater- und Mutterfiguren (siehe 3.1, 3.8 u. 4.1).

Dieses Beispiel von geplanter Vaterlosigkeit negiert auf extreme Art und Weise die Notwendigkeit von Vätern überhaupt [zum ganzen Abschnitt vgl. auch *Hofer*, 1998, S. 5].

Amendt beschrieb schon 1986 wichtige Gründe und Folgen von künstlicher Befruchtung, Samenspende, Leihmutterschaft und Retortenzeugung.

Er sieht, daß bei der Reproduktionsmedizin eine Zerreißung von Körper und Psyche der Menschen stattfindet und daß der Zusammenhang von der Paar-Beziehung zur Zeugung unterbrochen ist. Insgesamt spricht er von kulturzerstörenden Tendenzen der Reproduktionsmedizin [vgl. 1986, S. 9]. Er warnt vor den Folgen, wenn sich die individuelle und kollektive Erfahrbarkeit von Elternschaft auflöst und damit auch die psychische Fundierung des Verwandtschaftssystems [vgl. S. 10]. Statt des psychisch verbindenden Sexualaktes in der Paarbeziehung entsteht Anonymität und eine dritte zeugende Instanz [vgl. S. 11].

Die Konsument/inn/en der Reproduktionsmedizin ignorieren die Gründe ihrer (tendenziellen) Unfruchtbarkeit - z.B. Zeugungsunwille, Partnerschaftsprobleme, mangelnde Loslösung von den Eltern, Identitäts- und Sexualitätsprobleme - und verschieben das Problem auf die technische Ebene, wo es nur vordergründig gelöst werden kann. So schaffen sie für sich und die Kinder mehr Leiden als sie dadurch beheben können [vgl. S. 13, 105, 109, 111].

Für die Kinder bedeutet es, daß der Rahmen ihrer Identitätsbildung unsicher ist. Die Elternschaft scheint beliebig, die Herkunft der Kinder bleibt "verschwommen" und der Lebensbeginn ist emotional für die Kinder ebenfalls nicht erfahrbar. Zurück bleibt der Gedanke, etwas Fremdes in sich zu haben [vgl. S. 22, S. 181-189].

Was für Interessen verfolgen die einzelnen Parteien?

Die Gründe für **männliche Kunden**, ihren Samen einfrieren zu lassen, sind, daß sie ihre Reproduktionsfähigkeit vor Arbeits- und Umweltbelastungen (z.B. Giften) sichern, daß sie dadurch länger auf eine feste Beziehung und Vaterschaft warten oder auch Zeugungsstreß und Versagensängsten aus dem Weg gehen können [vgl. S. 31].

Für **Kundinnen** könnte ein Grund sein, langjähriger Verhütung auszuweichen, indem sie ihre Eier oder den schon verschmolzenen Embryo zur Lagerung geben und sich danach sterilisieren lassen. Später kann ihnen der Embryo dann eingeschwemmt werden [vgl. S. 31/32]. Bei diesen beiden Vorgängen der Kund/inn/en besteht die zusätzliche Gefahr, den Weg für Genmanipulationen frei zu machen [vgl. S. 45].

Die **Samenspender (und die Leihmütter)** nähren ihre Phantasien von grenzenloser Fruchtbarkeit, angstfreier und idealisierter Sexualität bei gleichzeitiger Abwehr von Verantwortung [vgl. z.B. S. 163-170].

Die **Reproduktionsmediziner/innen**, von denen die meisten Männer sein werden, können in ihrer Grenzenlosigkeit eine große eigene Potenz und die Naturbeherrschung phantasieren und weiterhin den Kontakt zu den Kundinnen (un)bewußt sexualisieren [vgl. S. 108]. Das (un)bewußte Sexualisieren betrifft natürlich auch die Kundinnen mit dem Wunsch an den männlichen Reproduktionsmediziner.

Durch die Ausführungen von *Amendt* wird nochmals klar, was für einschneidende und gefährliche Auswirkungen die Reproduktionsmedizin auf alle Beteiligten hat und im besonderen, wie die oft schon schwierige Verbindung vom Vater zum Kind unnötig erschwert oder gar behindert wird.

3.6 Mangel an Initiationsriten?

Ob es sich bei diesem Punkt um einen der Gründe für die vaterlose Kultur handelt, werde ich im folgenden prüfen.

Mitte der achtziger bis Anfang der neunziger Jahre entstand in den USA eine mythopoetische Männerbewegung. Deren Anliegen drückte sich weniger durch Kritik an Geschlechterrollen-Stereotypen, bestehender Arbeitsteilung oder auch in verbal agierenden Männergruppen aus, sondern bezog sich ausschließlich auf Mythen, Märchen, Archetypenlehre nach *C. G. Jung*, Selbsterfahrung und Initiationsriten.

So bekam Anfang der Neunziger der Initiationsritus auch hierzulande neue Aufmerksamkeit.

In Initiationsritualbeschreibungen wiederkehrende Bestandteile sind (Peukert, 1951; Bettelheim, 1975; Böhm, 1975; Ntetem, 1983; Schmid/Kocher-Schmid, 1992; Bosse, 1994; Kempf, 1961):

- Die zeitliche Trennung des Jungen von der Herkunftsfamilie

- Ein neu hergerichteter Initationsort, ein Teil davon ist z.B. ein Männerhaus

- Die Vermittlung der bestehenden Kultur und die Einbindung des Jungen in dieselbe

- Der verpflichtende Charakter des Rituals für den männlichen Nachwuchs
- Dem Jungen wird ein Ritualbegleiter, der sog. Mutterbruder, gestellt
- Körperbemalungen an den Jungen
- Ein Abschlußfest für den Jungen, der ab jetzt als Mann angesehen wird
- Der Ausschluß von Frauen und Uninitierten während der Zeremonien
- Einschränkungen der Eßgewohnheiten, z.B. zeitliches Schweinefleischverbot
- Geheimhaltung der Ritualinhalte vor Frauen und Uninitierten
- Im Ablauf geht es um den symbolischen Tod des Jungen und seine Wiedergeburt als Mann
- Dazu gehören massive physische und psychische Grenzerfahrungen und Mutproben bei denen es zu Kämpfen, Unterwerfungen, Sexualität, Mißhandlungen und Körperdeformationen kommt.

Grundgedanke des mythopoetischen Ansatzes ist, daß in westlichen Kulturen keine Einführung ins Mann-Sein (Initiation) mehr stattfindet und deshalb Männlichkeit, männliche Energie, Selbstzufriedenheit von Männern nur noch schwach ausgeprägt sind [vgl. *Bly*, 1993, S. 44-46]. Vertreter dieses Ansatzes sind z.B. *Robert Bly* [1993], *Michael Meade* [1996], *John Bellicchi, Gregory Campbell* oder auch *Guy Corneaux* [1993], *Robert Moore* [1992] *und Eugene Monnick* [1990].

Gerade *Robert Bly* gilt als Gründer bzw. ist der bekannteste Autor und Workshopleiter dieser Bewegung. In seinem Buch "Eisenhans" [1993] beschreibt er anhand des Grimm'schen Märchens eine männliche Initiation. Als Gründe für die mangelnde männliche Kraft führt er neben der unvollständigen Mutterablösung [vgl. S. 27-29] die faktische oder emotionale Vaterabwesenheit [vgl. S. 39-44] an. *Bellicchi* beschreibt es folgendermaßen:

"Väter verbringen den größten Teil ihrer Zeit auswärts, und die Frau ist die kraftvolle Energie im Haus. Was die meisten Jungen aufnehmen und erleben, ist eine starke feminine Prägung. Der Vater verschwindet immer mehr. Er hat keinen richtungsweisenden Einfluß auf das Leben seiner Kinder. Das wäre seine eigentliche Aufgabe: väterliche Energie zu verkörpern, nicht nur für seine Söhne, auch für seine Töchter.

Aber er ist eine Witzfigur. Selbst wenn er anwesend ist, ist er ohne Kraft. Bei so einem Vater geht alles, was für Männer wichtig ist, den Bach hinunter" [*Schinko*, 1991, S. 86].

Den unbewußten Wunsch der Jugendlichen aus den westlichen Industriestaaten nach einer Initation will *Corneaux* [1993, S. 184] sehen:

"Ohne sich dessen bewußt zu sein, wiederholen heute die Jugendlichen beider Geschlechter diese selben Einweihungsmuster: die androgyne Erscheinung, die monströsen Haartrachten und die schockierenden Accessoires, die sorgfältig zerfetzte oder zerlumpte Kleidung und die absichtliche Vernachlässigung von Sauberkeit und Hygiene. Dieses Verhalten drückt ein unbewußtes Bedürfnis nach einer Einweihung aus, aber leider scheinen die Väter dieser Heranwachsenden dieses Bedürfnis nicht zu verstehen. Junge Leute in unserer Kultur wie die in Stammeskulturen müssen ein Übergangsstadium durchleben (...) sie müssen die Grenzen ihrer künftigen Identität erforschen."

Die Auswirkungen auf die Söhne sind nach *Bly* "Vaterhunger" bei gleichzeitiger Ablehnung jeglicher männlicher Autoritäten, außerdem Kriminalität, Drogenkonsum, physische Gewalt und Konfliktunfähigkeit gerade gegenüber Frauen.

Das propagierte Idealbild ist der "wilde Mann", der seine dunklen destruktiven Seiten und seinen alten Schmerz integriert hat und aus voller Kraft mit positivem Einfluß lebt [vgl. 1993, S. 11]. Der Initiationsgedanke ist für *Bly* die Lösung des "Vaterhungers" und die Vermittlung von Männlichkeit. Ältere Männer begleiten die Eltern- bzw. Mutterablösung und unterweisen in den männlichen Geist während des Rituals. Das ist für Jungen im Gegensatz zu Mädchen auch deshalb künstlich per Ritual notwendig, weil ihnen die einschneidende körperliche Erfahrung der Menstruation fehlt, die deutlich den Übergang vom Kindlichen zum Erwachsenen anzeigt.

Es kommt zu Idealisierungen der Mythopoeten während der Ritualbeschreibungen und -deutungen [z.B. *Bly*, 1993, S. 32/33]:

"... bei den Kikuyu in Afrika. Wenn ein Junge das entsprechende Alter erreicht hat, entfernt man ihn von seiner Mutter und bringt ihn an einen besonderen Platz, den die Männer in einiger Entfernung vom Dorf vorbereitet haben. Dort fastet er drei Tage lang. In der dritten Nacht sitzt er dann im Kreis der alten Männer um das Feuer. Er ist hungrig, durstig, hellwach und zu Tode verängstigt. Einer der älteren Männer nimmt ein Messer, schneidet sich damit in den Arm und öffnet eine Vene. Dann läßt er ein wenig Blut in eine Kürbisflasche oder Schüssel fließen. Während die Schüssel reihum geht, schneidet sich jeder Mann in der Runde mit demselben Messer in den Arm und läßt etwas Blut hineinlaufen. Wenn die Schüssel bei dem Jungen ankommt, fordert man ihn auf, sich davon zu nähren. Bei diesem Ritual lernt der Junge eine ganze Menge. Er lernt, daß Nahrung nicht nur von seiner Mutter, sondern auch von Männern kommt. Und er lernt, daß das Messer viele Zwecke erfüllen kann, nicht nur den, andere zu verletzen. Könnte er jetzt noch bezweifeln, daß die anderen ihn gerne in ihrer Mitte aufnehmen? Nachdem die Aufnahme vollzogen ist, unterweisen ihn die alten Männer in den Mythen, Erzählungen und Liedern, die eindeutig männliche Werte verkörpern."

Solche Zeilen sprechen Männer tief im Herzen an und lösen viel Sehnsucht nach Vaterfiguren aus, doch ist dies nur ein Beispiel für Initiation. Er setzt sich kaum mit anderen üblichen und brutalen Initiationsriten auseinander: (Genital-)Beschneidungen, Demütigungen und Prügel, Schnitte mit Rasierklingen zu einer Tätowierung, Ausschlagen von Zähnen, Lippen-, Ohren- oder Fingerverstümmelungen, minutenlanges Aushalten von Ameisenbissen, Schlagen des eigenen Penis oder Zungenwurzeldurchstechungen [vgl. *Ntetem*, 1983 und *Böhm*, 1975]. Bei vielen dieser Rituale gibt es durchaus Tote.

Ebenso bleibt in dem Zitat die Deutung der Initiation eindimensional: Hierbei wird kein Beitrag zur Verfestigung von Stammeshierarchien oder zu einer "abgehärteten" Männlichkeit gesehen, die in früheren Zeiten zu Verteidigungszwecken notwendig war.

Auch die Zwangsintegration in die bestehende Kultur und der Neid - die symbolische Konkurrenz mit den älteren Männern und deren Lust am Schmerzzufügen - werden nicht thematisiert [vgl. *Bosse*, 1994, S. 52-63].

Die unbeachtete psychoanalytische Deutung bietet ebenfalls eine interessante Theorie an. Dort heißt es, daß eine symbolische Kastration stattfindet, um die Konkurrenz mit dem Vater zu beenden und das Inzestverbot zu etablieren bzw. den Ödipuskomplex zu bewältigen und den Jüngeren auf seinen Platz zu verweisen [vgl. *Ntetem*, 1983, S. 121-128].

Bettelheim rückt dagegen den Gebärneid und dessen Bewältigung durch die Männer in den Mittelpunkt seiner Initiationsdeutung [vgl. 1975, S. 152-159]. Dies macht er an verschiedenen Details des Rituals deutlich, wie z.b. dem blutigen Verlauf, dem Kriechen durch einen Tunnel, der Versorgung durch einen sogenannten Mutterbruder und dem neuen Namen, den der Junge nach der Initiation erhält.

Kempf [1996] kommt in seiner Betrachtung des Initiationsritus zu einem wiederum ganz anderen Ergebnis. In Papua-Neuguinea, Yawing weist er nach, daß es sich bei dem üblichen Beschneidungsritual um kein verbreitetes jahrhundertealtes Vorgehen handelt, sondern daß es bei der Wiederausbreitung des Rituals zwischen 1930 und 1950 einen unmittelbaren Bezug zu der Anwesenheit der weißen Kolonialherren und deren Christianisierungsversuchen gibt:

"... Die kolonialen Diskurse und Praktiken haben Hautfarbe und Körper der Schwarzen mit Krankheit, ...Epedemien und mit mangelnder Hygiene, mit Faulheit, mit moralischer Unterlegenheit und Sündhaftigkeit assoziiert" [S. 162]

Die Schwarzen haben dies schließlich verinnerlicht und das Beschneidungsritual nahm zunehmend eine Art Erlösungsfunktion ein. Aus einem Wechsel zwischen Anpassung und Widerstand gegenüber den Weißen entstand das Ritual neu aus lokaler Rekonstituierung und weißer Einflußnahme [vgl. S. 245].

Im direkten Bezug zu *Bly* kritisiert *Di Fusco*:

"Daß Mythen höchst komplexe Erzeugnisse der Kultur und soziale Produkte der Zivilisation sind, interessiert ihn (*Bly* - d. Verf.) nicht. Daß sie von bestimmten Menschen - meistens von bestimmten Männern - zu einem bestimmten Zeitpunkt für bestimmte Zwecke geschaffen wurden und werden, daß sie eine zentrale Rolle beim Weitervermitteln und Durchsetzen von Ideologien und Wertvorstellungen spielen, all das läßt er beiseite. Mit spätromantischer Naivität glaubt er felsenfest an Originalität, Natürlichkeit und Ursprünglichkeit der Mythen. Diese Annahme hält ihn von jeder krititischen Untersuchung der Mythen ab. Daß Mythen auch anders ausgelegt werden können, berücksichtigt er nicht" [1992, S. 31/32].

Zunächst bleibt festzuhalten, daß das Initiationsritual eine Vielzahl von Funktionen erfüllt, kulturell und spirituell schwer zu erfassen ist und die ausgeführten Deutungen nicht gegeneinander stehen, sondern sich eher ergänzen.

Die Kritik der subjektiven Konstruktion der Mythen und der Beliebigkeit der Mythen-Deutung von *Di Fusco* ist hier sicherlich wichtig, doch halte ich insgesamt die mythopoetischen Grundthesen zur mangelnden männlichen Energie, zur Wichtigkeit von Väterlichkeit, zur notwendigen Integration der eigenen destruktiven Anteile, zur mangelnden Löslösung und somit zur problematischen Verstrickung mit der Mutter in bezug auf die westlichen Industriestaaten für überzeugend.

Die Initiationsriten der Naturvölker können allerdings nicht auf unsere Kultur übertragen werden. Es dürfte wohl fatale Folgen haben, wenn wir spirtuell vieldeutige und brutale Riten, die wir kaum erfassen können, aus anderen Kulturen herausreißen und innerhalb unserer Kultur anwenden würden. Für unsere Gesellschaft sinnvoll kann nur eine sanfte Initiation sein, als bewußter Begleitungsprozeß für die Übergänge im Leben eines Jungen.

Im Grunde geht es doch um die aktive Vaterschaft, die Beschäftigung des Vaters mit dem Sohn, da können bereits gemeinsames Wäschewaschen oder andere alltägliche Arbeiten Initiationscharakter haben. Die amerikanische Kultur jedoch will die Einführung ins Mann-Sein scheinbar in kurzer Zeit dramatischer, abenteuerlicher, traditionell männlicher und effektiver vollbringen, schon deshalb müssen es gefährliche Rituale wie Initiation sein.

Natürlich sind neue sensible Riten sowie Wandern, Paddeln oder andere Ausflüge zu zweit bzw. mit mehreren Männern und Jungen sinnvoll. In deren Verlauf können Vater(-ersatz) und Sohn einen respektvollen Austausch über ihre unterschiedlichen Welten haben, eine gemeinsame Ebene finden, ihren Kontakt vertiefen und ebenso könnte sich die Liebe beider zueinander weiterentwickeln. Zum Beispiel kann dabei der Vater(-ersatz) den Sohn "aufklären", dessen Fragen beantworten und aus seinem Leben erzählen. Hierdurch entstände eine Atmosphäre, in der der Vater(-ersatz) authentisch Stärken und Schwächen zeigen könnte, so daß der Sohn eine realistische männliche Orientierung bekäme.

Das Wichtigste dabei ist für den Sohn die Kontinuiät des Kontaktes zum Vater(-ersatz). Was nützt einem Jungen ein Vater(-ersatz), der einmal oder alle zwei Jahre mit ihm einen Ausflug macht oder plötzlich für eine Phase seine Vaterschaft ausfüllen will? Wenig, denn der Junge braucht das Alltägliche, Greifbare und Streitbare vom Vater(-ersatz) für seine geschlechtliche Identifizierung und seine männliche Entwicklung. Günstig ist es hierbei weiterhin, Kontakte zu mehreren Männern zu haben, um möglichst viele Einflüße zu bekommen und somit Männlichkeit umfassender zu besetzen als es die Geschlechterrollen-Stereotype vorsieht.

Zusammenfassend zu 3.6 ist meines Erachtens zu sagen, daß ein Mangel an Initiationsriten keinen Grund darstellt, warum die vaterlose Kultur besteht.

3.7 Männliches Schweigen

Ein weiterer wichtiger Grund für die vaterlose Kultur ist - trotz physischer Anwesenheit des Vaters - das "männliche Schweigen".

Corneaux [1993] beschreibt, wie durch das Schweigen und Flüchten des Vaters dem Jungen die Anerkennung verweigert wird [vgl. S. 22], was die Identifikation erschwert [vgl. S. 25]. Seine Aufgabe wäre, dem Kind durch seine eigene Unvollkommenheit die reale Welt zu erklären [vgl. S. 31].

Ich [1996, S. 17] gehe davon aus, daß Männer eher gelernt haben, zu schweigen. Es liegt an ihrer Sozialisation zum "abgehärteten Macher", an der beruflichen Abwesenheit (besonders ungünstig ist, wenn bei der Arbeit auch nicht viel gesprochen wird oder wegen den Arbeitsplatz-Rahmenbedingungen nicht viel gesprochen werden kann) und an der größeren weiblichen Kommunikations-Kompetenz, die sich aufgrund der geschlechtsspezifischen Arbeitsteilung zwangsläufig herausgebildet hat.

Die männliche Sozialisation baut mit ihrer Einseitigkeit einen hohen Druck für Jungen auf. Es wird immer noch weitgehend auf eine berufliche Position im öffentlichen Bereich, sowie auf den alleinigen Familienversorger und -beschützer hin sozialisiert. Somit sind die Ziele dieser männlichen Sozialisation:

- die beste Leistung erbringen,
- keine Schwäche zeigen,
- viel Verantwortung tragen
- und immer mutig-kraftvoll sein.

Damit einher gehen die "Gefühlsverbote" für Jungen während ihrer Erziehung:
- Trauerverbot durch Formulierungen wie "Heulsuse", "Jungen weinen doch nicht", usw.
- Angstverbot durch Titulierungen wie "Feigling", "Angsthase", "Weichei", usw.
- Schmerzverbot durch Sätze wie "Was nicht tötet, härtet ab", "Indianerherz kennt kein Schmerz", etc.

Da dieses Verhalten permanent abverlangt wird, wäre es verwunderlich, wenn der Zugang zu den Gefühlen und zum Sprechen nicht beeinträchtigt wäre. Die daraus notdürftig resultierenden "Wild-West-Ideale" des "Lonesome-Cowboy" - die Umbennung des Drucks in großartige Tugenden - sitzen tief, und natürlich muß der Mann mit allen Problemen alleine zurechtkommen. Positiv gesehen hat er den Vorteil, daß Kreativität und "Annehmen von Herausforderungen" gelernt werden. Andererseits steht dieser Lernprozeß auch für einen Leidensdruck und für eine Sehnsucht nach verlorenem Gefühlsterrain [vgl. *Ax*, 1996, S. 17].

Für den Kontakt und das Gespräch mit anderen Jungen oder Männern bedeutet dies:

"Die Angst schwul zu sein, als schwul zu gelten oder so bezeichnet zu werden, begleitet das ganze Männerleben. Schon in der Kindheit gilt es als schlimmste Beschimpfung und Jungen tun fast alles, um dem zu entgehen: Sie sind auf der Hut, vermeiden gleichgeschlechtliche Berührung, machen große Sprüche und nähern sich oft grenzüberschreitend Mädchen, um keinen Verdacht auf sich zu ziehen. Als einzige Möglichkeit der Kontaktaufnahme zwischen Jungen bleibt oft nur die Rauferei. Der Schwulen-Vorwurf impliziert, daß dem Betreffenden die 'Männlichkeit' (bzw. was als männlich gilt) abgesprochen wird. Das ist für Jungen auf der Identitätssuche, wo schon gesellschaftlich nicht viel angeboten wird, natürlich eine Katastrophe. Es entsteht ein Art 'Abgrenzungszwang', der oft das ganze Leben anhält, da das Berührungstabu und die einseitige Gefühlsausrichtung auf Frau in späteren Jahren weiter reproduziert werden muß" [*Ax*, 1996, S. 17].

Durch den Abgrenzungszwang (oft auch Homophobie genannt), die Konkurrenz und die tendenziell abwesenden Väter entsteht Angst, Schweigen sowie ein Mangel an vertrauten Männerfreundschaften.

Was entsteht an Kommunikationsschwierigkeiten mit Frauen?

Zum einen kann sich folgendes Beziehungsmuster einstellen: Die Frau versteht den Mann nicht und fragt nach. Die Antwort stellt sie nicht zufrieden und sie "bohrt" weiter. Er reagiert ängstlich, verunsichert, genervt und wortkarg; sie ist daraufhin noch hartnäckiger, irgendwann wütend oder auch traurig. Das erhöht die männlichen Fluchttendenzen oder ergibt einen (nur noch) emotionalen Streit, und der Kontakt bricht ab. Später fragt sie weniger nach und er zieht sich ebenfalls zurück, weil ihr scheinbar das Interesse fehlt - sie verstummen; Stillstand setzt ein [vgl. *Jellouscheck*, 1996a, S. 65-66].

Ein anderes typisches Muster entsteht ebenfalls sehr häufig zwischen Männern und Frauen: Sie hat Wünsche, stellt diesbezüglich Forderungen, und er will es ihr recht machen. Beide sind unzufrieden damit, denn keine/r kriegt das Gewollte. Er schafft es nicht, ihr Grenzen zu setzen, und ihre Anforderungen steigern sich. Er versteht sie nicht, will ihre Unzufriedenheit verhindern und nur "endlich Ruhe". Weder kommt es zum fälligen Streit noch zur Grenzziehung seinerseits. Er verhält sich wie ein kleiner Junge zur Mutter, von der er abhängig ist und die er bei Laune halten muß [vgl. *Jellouscheck*, 1996b, S. 27-32 und S. 45-56].

Oder eine ebenso typische Variante, die Stillstand und Sackgasse bedeutet, kommt zur Anwendung: Im männlichen Kontakt zu Frauen, wo das Kommunikativ-Versorgende gänzlich den Frauen überlassen wird, bedeutet dies, daß eine Abhängigkeit besteht und dann diese Fähigkeiten der Frau abgewertet werden "müssen". Gleichermaßen entsteht natürlich Wut auf sie, denn niemand ist gerne abhängig (Das Gegenstück für die Frauen ist Abhängigkeit in materieller und/oder technischer Hinsicht). Wenn Frauen für Persönliches nicht zur Verfügung stehen, ergeben sich bei Männern oft Schwierigkeiten mit der Selbstversorgung, Schweigen, emotionale Leere, Frustration und ein Teufelskreislauf aus Einsamkeit und Härte [vgl. *Ax*, 1996, S. 17-18].

"Männer haben das Schweigen nicht erfunden, aber sie müssen für ihr Schweigen die Verantwortung übernehmen. Sie reden unaufhörlich, kräftig und beeindruckend. Man muß nur den Fernseher anschalten, das Radio, ins Kino gehen, in die Kneipe, in die Versammlung. Redend verstecken sie sich. Als Politiker, Juristen, Militärs, als Lehrer, Professoren, Wissenschaftler, als Arbeiter, Studenten oder Therapeuten (...) Und sie reden zur Frau, belehrend und besserwisserisch. Mit den Kindern reden sie unbeholfen, schulmeisterlich und beziehungslos. Das Gebirge des Schweigens über den Ängsten, Wünschen und Hoffnungen türmt sich immer höher" [*Wieck*, 1990, S. 144].

Wieck plädiert für einen Einsatz, der Geduld und Initative erfordert. Ohne zu fragen und auf Antwort zu warten, ist ein Austausch, ein wirkliches Gespräch nicht möglich [vgl. 1990, S. 153-154].

Einen anderen guten Vorschlag, dem Schweigen entgegenzutreten, macht *Corneaux*. Er empfiehlt den erwachsenen Söhnen, um den ideal-phantasierten Vater zu trauern und endlich aufzuhören, dem eigenen Vater die alleinige Schuld für das empfundene Leid zu geben. Dazu ist es notwendig, den Vater mit seiner Geschichte zu sehen und zu verstehen. Nur so ist eine Annäherung und ein Verzeihen möglich, denn er hat meist ausreichend für den Lebensunterhalt und die Ausbildung der Kinder gesorgt und sie nicht nur vernachlässigt [vgl. 1993, S. 223-227].

"Die Aufgabe, der sich die Männer heute gegenüberstehen, ist es, mit der langen Tradition des Schweigens der Männer zu brechen" [*Corneaux*, 1993, S. 226].

3.8 Mangelnde männliche Identität der Väter

Dieser letzte und achte Grund für die vaterlose Kultur hängt stark mit 3.1 (Fehlendes väterliches Vorbild) zusammen. Denn wenn die eigene Geschlechtsidentität sehr brüchig ist, können die betroffenen Väter auch wenig an ihre Söhne weitergeben. *Mitscherlich* warnte schon frühzeitig davor, den Entfremdungsprozeß zwischen Vater und Sohn zu bagatellisieren [vgl. 1969, S. 180]. Das macht sich seiner Meinung nach in den Adoleszenzkrisen der Jungendlichen deutlich:

- auffallende Unzulänglichkeiten,
- provokante Allüren,
- Indifferenz gegenüber allem, was den Älteren wertvoll ist sowie
- der hektische Erlebnishunger

sind dafür Anzeichen.

Wie schon unter 3.1 beschrieben, kommt es zu einer Störung der väterlichen Objektbeziehung und der Über-Ich-Bildung beim Sohn. Ergebnisse hiervon sind Orientierungslosigkeit, stark schwankende Gefühlsambivalenzen und regressives oder egoistisch-asoziales Verhalten. Die Umweltwahrnehmung steht ausschließlich im Dienste des eigenen Triebgeschehens.

Außerdem entsteht ein verzerrtes Männlichkeitsbild:

"Wenn der Sohn seine eigenen Gefühle primär über die Mutter erfährt, dann, so meint *C. G. Jung*, wird er die weibliche Haltung zur Männlichkeit einnehmen und eine weibliche Sicht seines Vaters und seiner eigenen Männlichkeit entwickeln" [*Bly*, 1993, S. 43].

Bly [vgl. 1993, S. 44] geht weiter davon aus, daß sich dieses Bild erst sehr viel später revidiert, weil die Psyche lange an den früheren Wahrnehmungen und den Idealisierungen der Mutter festhält. Sehr ungünstig für die Entwicklung des Sohnes, wäre hier eine nicht unübliche Männerabwertung durch die Mutter während des Erziehungsprozesses. Dies führt zu einer ablehnenden Haltung gegenüber sich selbst und gegenüber Männern im allgemeinen. Das es sich hierbei scheinbar nicht um Einzelfälle handelt, beweist z.b. die unkritisch-profeministische (manchmal schon fast masochistische) deutsche "Männerbewegungsliteratur" der Siebziger und Achtziger um *Klaus Theweleit* [z.B. 1980], *Volker Elis Pilgrim* [z.B. 1973, 1983], *Wilfried Wieck* [z.B. 1987], *Horst Herrmann* [z.B. 1989] oder teilweise auch *Walter Hollstein* [z.B. 1990], deren Geist heute immer noch weit verbreitet ist. Natürlich ist dies nicht der einzige Grund für ihr negatives Männerbild; schließlich kommmt ihnen eine gewisse Vorreiter-Rolle zugute, sich als erste Männer kritisch mit gelebter Männlichkeit, Faschismuskontinuität und der neuen Frauenbewegung auseinanderzusetzen. Doch laden sich diese Männer auch die Gesamtschuld für alle Schwierigkeiten mit Frauen auf, ebenfalls für "alles Leid der Welt" und geißeln sowohl sich selbst als auch andere Männer als Oberpatriarchen. Letztere Bezeichnung ist in diesem Fall wohl wahr, allerdings nicht so, wie es die Autoren beschreiben; denn Frauen Handlungs- und Veränderungsmöglichkeiten abzusprechen, ist wohl am ehesten als patriarchalische Einstellung zu deuten.

Auch ist mit dem Patriarchatsbegriff die Wirklichkeit des Geschlechterverhältnisses schon länger nicht mehr zu beschreiben. Der Machtüberhang der Männer im öffentlichen Bereich wie in der Berufsarbeit steht einem Machtüberhang der Frauen im Erziehungs- und Beziehungsbereich gegenüber [vgl. *Ax*, 1998, S. 4-9]. Dies hätte sich spätestens Ende der Achtziger auch in der aufgezählten "Männerbewegungsliteratur" niederschlagen müssen.

Das bei Söhnen entstandene Mißtrauen gegenüber allem Männlichen und Väterlichen, welches teilweise übertragen auf alle Institutionen und dem Staat ausagiert wird, sorgt für stellvertretende politisch-dogmatische Radikalität [vgl. *Bly*, 1993, S. 40-42 und S. 139-140]. Oder auch der Gegenpol des Mißtrauens (zu dem sich das Verhalten schnell verändern kann), die Idealisierung von allem Männlichen bietet insgesamt wenig realistische Orientierung und sorgt für Männer, die keine Verantwortung für sich und andere übernehmen und alle Entscheidungen anderer kritiklos mittragen.

Wie sollen "vaterhungrige" Söhne, die - wie beschrieben - zu Männern werden, lernen, mit Verantwortung umzugehen und humane Entscheidungen zu treffen?

4. Die Auswirkungen der vaterlosen Kultur

Generell kann nicht zwangsläufig die Rede von kausalen Zusammenhängen zwischen den Gründen und Auswirkungen vaterloser Kultur sein. Bei einer bestimmten Auswirkung gibt es immer eine Fülle von Gründen mit unterschiedlicher Ausprägung. Und einige der genannten Gründe - wie z.B. männliches Schweigen oder mangelnde männliche Identität - sind sowohl Gründe als auch Auswirkungen vaterloser Kultur.

Insofern ist diese Gliederung immer ein Modell, das versucht, möglichst nah an die Wirklichkeit heranzukommen.

Anfangs unter 4.1 widme ich mich im Anschluß an 3.1 (Fehlendes väterliches Vorbild) und 3.8 (Mangelnde männliche Identität der Väter) nochmals der männlichen Identität, diesmal primär unter dem Fokus der Auswirkungen. Danach fasse ich die Forschungsergebnisse zu dem Thema zusammen (4.2) und weise schließlich auf andere Auswirkungen hin, die ich für wichtig halte, welche aber in der Literatur in bezug auf Vaterlosigkeit kaum auftauchen (4.3 - 4.8).

4.1 Mangelnde männliche Identität

Als erstes wiederhole ich - nochmals um die Wichtigkeit hervorzuheben - daß die Grundlage der männlichen Identität nur vom Vater bzw. der zuständigen Vaterfigur vermittelt werden kann. Die Identifikation des Sohnes erfolgt aufgrund der Gleichgeschlechtlichkeit; insofern läßt sich dieser Part kaum durch Frauen ausgleichen, genau wie Männer die Mutter bzw. Mutterfigur nicht annähernd vollständig ersetzen können.

"Die Beziehung zwischen Eltern und Kind wird in den ersten Lebensjahren wesentlich durch den Mechanismus der Identifikation geprägt. Welche Persönlichkeitsmerkmale ein Kind entwickelt, wie es, auf der Basis der biologischen Reifung, in seine Geschlechtsrolle reinwächst, wie sich sein sozialer Kontakt gestaltet - dies alles hängt zu einem bedeutenden Teil von seinen Identifizierungsmöglichkeiten ab" [*Pohle-Hauß*, 1977, S. 36].

Corneaux [vgl. 1993, S. 33-34 und S. 53] trägt einige Auswirkungen der vaterlosen Kultur zusammen und geht darauf anhand von Beispielen ein [vgl. S. 59-119]. Ohne präsenten Vater sieht er bei Jungen folgendes entstehen:

- eine schwankende Selbstachtung,
- unterdrückte Aggressivität und Neugierde sowie unterdrückten Ehrgeiz
  [siehe auch *Pohle-Hauß*, 1977, S. 70],
- gehemmte Sexualität,
- Lernschwierigkeiten,
- Schwierigkeiten, sittliche Wertvorstellungen anzuerkennen und zu übernehmen,
- Schwierigkeiten, Verantwortung zu übernehmen,
- Schwierigkeiten, respektvoll mit sich und anderen umzugehen,
- fehlende Rigorosität,
- fehlende Lebensorganisation ("wirre" Gedanken; Entscheidungsschwierigkeiten; Schwierigkeiten, Bedürfnisse zu identifizieren; Schwierigkeiten, Ziele zu setzen und zu erreichen; Konzentrationsschwierigkeiten; Schwierigkeiten, die Sinneswahrnehmungen zu ordnen),
- Unsicherheit über die sexuelle Identität,
- Kriminalität und
- Drogenmißbrauch.

"Je zerbrechlicher ein Mann sich innerlich fühlt, um so mehr neigt er dazu, eine äußere Schale aufzubauen, um seine Zerbrechlichkeit zu verbergen (...) Durch diese äußere Kompensation versuchen verlorene Söhne, ihre Sehnsucht nach Liebe und Verständnis, ihr Verlangen danach, berührt zu werden, ihr Bedürfnis zu lieben und geliebt zu werden, zu betäuben" [*Corneaux*, 1993, S. 54-55].

Auch *Bode/Wolf* [vgl. 1995, S. 201-212] kommen bei ihrer Untersuchung über die Auswirkungen auf die kindliche Geschlechtsidentität auf teilweise schon erwähnte Punkte:

- Idealisierung und Glorifizierung des alleskönnenden Vaters
- Orientierungslosigkeit, fehlender männlicher Selbstbezug

- Unsicherheit, Ambivalenz, Schuldgefühle und Selbstabwertung
- Gleichgültigkeit, Abwertung/Ablehnung des Vaters und damit zusammenhängende
  Depression oder erhöhte Aggression nach außen
- keine oder unrealistische Vorbilder und dadurch bedingt andauernde
  Autoritätskonflikte

Viele der aufgezählten Auswirkungen konnte ich in den letzten Jahren bei der päd-agogischen Arbeit mit Kindern, Jugendlichen und Erwachsenen beobachten und an-teilig ebenso auf (tendenzielle) Vaterlosigkeit zurückführen.

Wie eben angeklungen und in 4.2.3, 4.2.4, 4.2.7, 4.3, 4.5 und 4.6 weiter aufgegriffen, besteht eine besondere Gefahr für betroffene Jungen und Männer, kriminell zu wer-den. Ihnen fehlte und fehlt der grenzensetzende Mann als Gegenüber, mit dem sie in der Auseinandersetzung etwas über Männlichkeit erfahren und selbige für sich wei-terentwickeln. Eine Auswirkung ist, diese Grenze jetzt verzweifelt über Grandiosität und Delinquenz zu suchen. Diese Suche muß jedoch scheitern, weil das einzige, was daraus irgendwann folgt, die juristische Grenze durch den abstrakten "Vater-Staat" ist. Denn der "Vater-Staat" übt nur wenig pädagogische Funktion als konkretes, kontinuierlich-anwesendes und männliches Gegenüber aus, sondern setzt regulierend fast ausschließlich darauf, daß durch (Gefängnis-)Strafe Reue bei den Betroffenen eintritt.

Es findet sich bei *Corneaux* [vgl. 1993, S. 36-38] zu den Auswirkungen noch ein in-teressanter Punkt, der besondere Würdigung verdient. Er vertritt die These, daß eine Folge der (tendenziellen) Vaterlosigkeit die "körperliche Beraubung" der Söhne ist.

"Da der Körper die Basis jeder Identität ist, muß die Identitätsbildung mit dem Kör-per beginnen" [S. 36].

Schnack/Neutzling [vgl. 1996, S. 47-50] und *Jellouscheck* [vgl. 1996a, S. 123] sehen dort ebenfalls einen Zusammenhang: Die gleichgeschlechtliche Körpererfahrung stärkt die Selbstliebe und den Wert des Mann-Seins.

Berührungen mit dem Vater findet aufgrund der männlichen Sozialisation um so weniger statt, je älter der Sohn wird. Die Eltern entwickeln große Angst, daß der Sohn "verweichlichen", sich später im Berufsleben nicht zurechtfinden oder daß er gar homosexuell werden könne. Dazu die Erinnerungen eines Mannes:

"Ich war etwa sechs Jahre alt. Ich sollte ins Bett gehen, und mein Vater saß mit meinen Großeltern im Wohnzimmer und schaute Fernsehen. Ich ging zu ihm hin und gab ihm einen Kuß auf den Mund. Und alle sagten plötzlich wie im Chor: 'Nee, das macht man nicht, doch nicht auf den Mund!! Was machst Du denn Junge?!' Danach habe ich meinen Vater nicht mehr geküßt" [*Schnack/Neutzling*, 1996, S. 53].

Vom Körper seines Vaters ferngehalten und durch die Berührungen zur Mutter, entwickelt sich der Junge im negativen Verhältnis zum Körper seiner Mutter; er glaubt, der Bereich des Körperlichen, des Sinnlichen und der Gefühle gehöre ausschließlich den Frauen. Hieraus entsteht neben einer nur genitalen Sexualität als Gefühlausdruck auch eine Angst vor Frauenkörpern [vgl. *Corneaux*, 1993, S. 37-38]. Weitere Punkte, die damit einhergehen sind:

- Neid auf Frauen,

- Abwertung von Frauen und

- die eingeschränkte Beziehungsfähigkeit zu ihnen.

Die Angst vor der mächtigen, "verschlingenden" Mutter wird im Kontakt zu Frauen immer wieder gleichzeitig mit den Sehnsüchten nach Liebe ausgelöst [vgl. *Corneaux*, 1993, S. 126].

Wobei es immer wieder wichtig ist zu betonen, daß weniger die Quantität als vielmehr die Qualität der Vaterbeziehung eine wichtige Rolle spielt [vgl. *Jellouscheck*, 1996a, S. 118-120 und *Pohle-Hauß*, 1977, S. 61].

Im folgenden werde ich einige klassische Theorien von Geschlechts- identitätsentwicklungen vorstellen und diese danach auf die Auswirkungen der (tendenziellen) Vaterlosigkeit prüfen.

In der **Psychoanalyse** nach *Freud* wird von einer bewußten und unbewußten Übernahme von Haltungen und Eigenschaften des "mächtigen" Vaters durch den Sohn ausgegangen. Diese Identifizierung ist der positive Verlauf des Ödipuskomplexes. Diesem Verlauf (männliche Identifizierung) steht in frühen Jahren die Konkurrenz mit dem Vater um die Mutter im Wege, denn in der phallischen Phase des Jungen will dieser die Mutter besitzen; der Vater wird somit zum Rivalen. In diesem Prozeß kommt es einerseits zur Identifizierung mit dem Vater ("Angreifer") als Abwehrstrategie gegen die eigene Ohnmacht, während sich andererseits Angst vor väterlichem Liebesverlust und vor einer befürchteten "Kastration" aufbaut. Am Ende des positiven Verlaufs wirkt also die Akzeptanz (des Sohnes) sowie die Aufrechterhaltung (des Vaters) in bezug auf das Inzesttabu, die fortschreitende Lösung der Mutter-Kind-Symbiose und die Entstehung des Über-Ichs als Träger von Moral und Werten [vgl. *Freud*, 1921-1941 *nach Stechhammer*, 1981, S. 38-40, *Pohle-Hauß*, 1977, S. 38-41 und *Rebstock*, 1993, S. 73-77].

Der **lerntheoretische Ansatz** sieht den Vater als Lernmodell, dessen Verhalten nachgeahmt wird [vgl. *Bandura*, 1979 nach *Stechhammer*, 1981, S. 30-34]. Dieses Lernen ist von vier Faktoren des Kindes abhängig:

a) der jeweiligen Aufmerksamkeit,

b) der Speicherungs- und Erinnerungsfähigkeit,

c) der Fähigkeit der Transformation von symbolischer Repräsentation in Handlungen und

d) der Abwägung von Motiven und Konsequenzen möglicher Handlungen.

Der letzte Punkt hat eine besondere Wichtigkeit, da hier mit positiver oder negativer Verstärkung in eine polare Richtung (z.B. Autoritätshörigkeit) von Erziehenden gelenkt werden kann oder das Kind aus Trotz die Gegenrichtung einschlägt [vgl. *Rebstock*, 1993, S. 82-83].

"Nachahmung ist somit ein subjektiver Prozeß, der je nach psychischer und subjektiver Struktur des Kindes zustandekommt oder nicht" [*Stechhammer*, 1981, S. 32].

Das bedeutet also, daß Kommunikationsstrukturen, Ängste, Selbstsicherheit, Durchsetzungsvermögen, Grad der Selbstreflektion und auch Kompromißfähigkeit gegenüber Partnerin oder Außenwelt - welche beim Vater mehr oder weniger ausgeprägt sind - gelernt oder übernommen werden [vgl. auch *Stechhammer*, 1981, S. 36-37 und S. 40-41].

In der **Entwicklungstheorie** nach *Kohlberg* wird davon ausgegangen, daß das Kind aktiv die eigenen Erfahrungen strukturiert und daraufhin zu Handlungsstrategien kommt, also kein passives formbares Wesen ist. Aufgrund der vorgelebten Geschlechterstereotype erkennt und übernimmt das Kind viele, aber nicht alle (entsprechenden) Verhaltensweisen [vgl. *Kohlberg*, 1974 nach *Rebstock*, 1993, S. 86-87].

Die **Rollentheorie** nach *Parsons* geht von einer "Integration des Menschen in die Gesellschaft, vermitttelt durch die Verinnerlichung der jeweiligen herrschenden Werte, Normen und Rollen" [*Rebstock*, 1993, S. 91] aus. Die Lernmechanismen dabei sind Identifikation und Internalisierung [ebd.]. Das Kind nimmt die Unterschiede der Verhaltensweisen und Zuständigkeiten der Eltern war. Auf Druck der Eltern erfolgt die Loslösung von der primären Mutterbindung, so daß der Weg für die männliche Identifizierung frei wird; letztere wiederum wird durch Verstärkungen gefördert [vgl. *Parsons*, 1954 nach *Rebstock*, 1993, S. 92-94].

Die **christliche Moraltheologie** sieht den Vater aufgrund seiner Dominanz und Stellung als Haupt der Familie gerade in der Unterweisung der Kinder vor. Durch die "existenzielle Verschiedenheit" von Mann und Frau, der "näheren Beziehung zu

Geist und Tat" des Mannes, ergibt sich die Autorität und die Befugnis zu Gebot, Güte und Strafe [vgl. *Vetter*, 1960 nach *Pohle-Hauß*, 1977, S. 13-20].

Entscheidend ist meines Erachtens, daß alle diese Theorien keine Gegensätze bilden sondern anteilig alle ihre Berechtigung haben und sich somit ergänzen. Etwas heraus fällt die christliche Moraltheologie; uneinsichtig scheint hier, warum der Mann eine "nähere Beziehung zu Geist und Tat" haben soll und deshalb mehr Erziehungsbefugnis.

Auf den nächsten Seiten beschreibe ich, wie sich die vaterlose Kultur auswirkt, wenn die vorgestellten Theorien zutreffen.

Was passiert, wenn in der Theorie der **Psychoanalyse** der Vater nicht nur (tendenziell) abwesend ist, sondern auch noch auf der Beziehungsebene "schwächer" ist als die Mutter und so der Ödipuskomplex einen negativen Verlauf nimmt (d. h. der Vater den Sohn nicht auf seine Position verweist)? Ich gehe davon aus, daß durch die weibliche Sozialisation in unserer Kultur die Frau in der Regel auf der Beziehungsebene stärker ist als der Mann (siehe auch 3.3.1: Die Mädchen und Frauen lernen zuzuhören, "sind zuständig" für gute Atmosphäre und vermitteln bei Unstimmigkeiten. Sie entwickeln auch aufgrund ihrer erzieherischen Tätigkeiten letztlich eine bessere Menschenkenntnis und höhere soziale Kompetenz).

Das würde bedeuten, daß die Wahrscheinlichkeit massiv dafür erhöht ist, daß die Mutter-Kind-Bindung - und gerade die Mutter-Sohn-Bindung - wenig, aber auf jeden Fall nicht vollständig gelöst wird. Je mehr die Mutter frustriert ist, klammert und den Sohn als Ersatzpartner "mißbraucht", desto anhaltendere Folgen hat es für den Sohn. Weiterhin heißt es, daß die Identifikation mit dem Vater behindert bleibt durch die anhaltende Konkurrenz mit ihm. Inzestuös bleibt der Sohn mit der Mutter verbunden. Mit der ambivalenten Mutter-Sohn-Symbiose schreitet der junge Mann durchs Leben und erlebt immer wieder das Wechselbad aus Idealisierung der Frauen und dem Haß auf sie, welches seine hetereosexuelle Bindungsfähigkeit einschränkt.

Jahrzehntelang kann es dauern, ehe der erwachsene Sohn merkt, daß sein Leiden damit zusammenhängt, wie wenig er männlich "verankert" ist und wie stark er an die Mutter gebunden ist.

Gerlach [vgl. 1995, S. 965-988] spricht in Zusammenhang mit dem gescheiterten Ödipuskomplex von einer neurotischen Symptombildung, die bei dem Jungen entsteht [S. 972]. Diese kann sowohl eine kollektive Kastrationsangst-Bewältigung von Männern nach sich ziehen, wie bei den Koro-Epedemien auf Hainan vor China, in dessen Verlauf Männer glauben, ihr Genital würde schrumpfen [S. 977] als auch eine in unserer Kultur übliche Aufspaltung des männlichen Frauenbildes in Heilige (=asexuelles Wesen) und Hure (=Geliebte des Konkurrenten, des Vaters) zur Folge haben, wo die Aggressionen und unerlaubten inzestuösen Regungen zur Mutter abgewehrt werden [S. 974-975 und S. 978].

Anhand eines Falles aus seiner psychoanalytischen Praxis beschreibt *Gerlach* [vgl. S. 980-985], wie nach einem negativ verlaufendem Ödipuskomplex und einer gefühlskalten und dominanten Mutter während seiner Kindheit der Patient als Erwachsener mit vielen Symptomen zu kämpfen hat: Erektionsschwäche, Ejakulationsunwille, Idealisierung von Frauen, Phantasien gleichzeitig Penisträger und aufnehmende Frau zu sein, sich von Frauen dominieren lassen, Bindungsunfähigkeit zu Frauen, Neid und Haß auf Frauen.

"Der Patient sah sich in der oralen und analen Phase einer Mutter gegenüber, die restriktiv und kontrollierend auf seine infantilen Bedürfnisse und Wünsche reagierte. Dabei war der als passiv und schwach erlebte Vater offenbar kein geeigneter Partner, der sich in der Trinagulierung als unterstützend für die notwendigen Individuierungs- und Trennungsschritte angeboten hätte. Beide Eltern, Vater wie Mutter, waren zudem mit eigenen Trennungs- und Trauerprozessen nicht zuende gekommen (...) Bei Herrn R. mußte so die frühe Ich-Entwicklung und -Differenzierung mangelhaft bleiben (...) Eine von der mütterlichen Kontrolle unabhängige innere Welt war ihm kaum geblieben (...) Die Fixierung, die sich aus Versagung wie aus Verwöhnung ergeben kann, findet ihren Niederschlag in beiden Fällen in einem intensiven unbewußten Neid auf die weibliche Geschlechtlichkeit, in Reaktionsbildungen und latentem Haß" [*Gerlach*, 1995, S. 984-985].

Greenson [vgl. 1982, S. 257-264] geht sogar davon aus, daß der Prozeß der Mutterablösung hin zum Vater an sich schon - das heißt bei optimalem Verlauf - für eine erhebliche Verunsicherung der männlichen Identität sorgt, so daß Mädchen/Frauen ihrer Weiblichkeit grundsätzlich sicherer sind als umgekehrt die Jungen/Männer ihrer Männlichkeit.

Am Beispiel von männlichen transsexuellen Patienten und am Fetischismus, welche beide einen sehr viel höheren männlichen Anteil haben, macht *Greenson* die mangelnde männliche Identität und den Geschlechterneid der Männer deutlich. Auch bei seiner Einzelfallbeschreibung eines fünfjährigen Jungen, taucht der "schwache" Vater und die klammernde Mutter, die hier sogar männerabwertend beschrieben wird, auf.

Für die Herausbildung der männlichen Identität muß der Junge von seiner mütterlichen Erstidentifizierung zu der neuen, oft schwer zugänglichen väterlichen Identifizierung kommen [vgl. auch *Corneaux*, 1993, S. 27].

"Vielleicht liegt es an der schwankenden Grundlage ihrer Identifizierung mit dem Vater, ihrer Kontra-Identifizierung, daß sie Frauen reaktiv verachten und unbewußt beneiden" [*Greenson*, 1982, S. 264].

Auf der Ebene der **Lerntheorie** hat das einen ähnlichen Effekt. Das Lernmodell Vater ist nicht ausreichend vorhanden, der Vater wohlmöglich "schwach" und der Sohn orientiert sich vermehrt an der Mutter. Das verweist auf die negative Identitätsbildung als Nicht-Mann und sorgt immer mehr für Irritationen, weil gesellschaftlich männlich geltende Eigenschaften besetzt werden "müssen", die der Vater wenig hat oder vermittelt. Wie schon in Punkt 3.1 und 3.8 beschrieben, kommt es nicht selten zu einem Gemisch aus Ablehnung und Idealisierung des Väterlichen/Männlichen. So entsteht kein realistisches Männerbild für die Jungen. Durch den Vaterhunger entsteht die Tendenz, unkritisch alles zu nehmen, was von "starken" Männern kommt und sich benutzen zu lassen, oder eben unkritisch Männerabwertung zu betreiben und sich weitgehend auf Frauen zu beziehen. Hier entsteht Abhängigkeit, und die Vatersehnsucht muß immer aufwendiger verdrängt werden.

Bei der Betrachtung der **Entwicklunggstheorie** fällt auf, daß die (tendenzielle) Vaterabwesenheit es dem Sohn schwer macht, männliches Verhalten zu erkennen und möglicherweise zu übernehmen. Es entsteht Verwirrung über Männlichkeit aufgrund des Mangels an Anschauung. Die Integration der Auswahlmöglichkeiten muß sich an "weiblichem" Verhalten und Phantasien zu Männlichkeit, den Medienvorgaben und dem "kulturell-zu-Erkennenden" festmachen. Die männliche Entwicklung der Jungen orientiert sich also eher an Oberflächlichem und bleibt somit unsicher.

Auch bei der **Rollentheorie** entstehen massive Unsicherheiten in bezug auf die männliche Identität durch die vaterlose Kultur. Herrschende Werte, Normen und Rollen können nicht direkt wirken sondern werden indirekt über Dritte vermittelt. Unterschiede und Zuständigkeiten der Geschlechter sind nicht klar zu erkennen. Auch Verstärkungen der Geschlechterrolle durch Erziehende können deshalb nicht tief wirken; es kommt zu einer vordergründigen Identifikation mit dem abstrakt Männlichen, welche ständig unter Beweis gestellt werden muß, weil eine große Unsicherheit darüber besteht.

Und auch an dieser Stelle bleibt es wieder fraglich, ob es zu dem in der Theorie beschriebenen Druck kommt, der die Mutter-Loslösung einleitet. Es ist unwahrscheinlich, daß beispielsweise eine Alleinerziehende dies vollzieht und keine ihrer erwachsenen Bedürfnisse vom Sohn gestillt wissen will.

Für die **Theorie der christlichen Moral** hat der (tendenziell) abwesende Vater ebenso extreme Auswirkungen. Wenn es einen Vater gibt, existiert er als "ausgehöhltes" Haupt der Familie, dem Dominanz und Autorität abhanden gekommen sind oder die er nie besessen hat. Die Unterweisung der Söhne bleibt aus. Demnach mußte gerade für Jungen Orientierung fehlen; ohne Vorbild und männliche Grenzen sind sie fast ausschließlich ihren Müttern und der zu engen Bindung an sie ausgesetzt.

Zusammenfassend zu den Theorien betrachtet, haben die negativen Auswirkungen der vaterlosen Kultur auf die männliche Identität eng mit

- der ungelösten Mutterbindung/-identifizierung,
- der mangelnden Identifizierung mit dem Vater,
- dem mangelnden Lernmodell Vater,
- der Unsicherheit über die eigene Männlichkeit durch den Mangel an männlicher
  Unterweisung und
- die Werte und Normen - durch Weitergabe von Dritten - nicht wirklich integriert
  sind,

zu tun.

Der entstehende "Vaterhunger" der Söhne wird versucht, über Vaterersatzfiguren auszugleichen: Gangleader, Gurus, Sekten, politische Führer, Chefs, Religionen bieten sich hierfür an. Dabei besteht die Gefahr der Idealisierung sowie der persönlichen Ausbeutung [vgl. auch *Corneaux*, 1993, S. 33] neben dem Wiedererleben der früheren Vater-Enttäuschung.

Dies sah *Mitscherlich* 1963 auch schon kritisch [vgl. 1969, S. 348-359] :

"Der (...) Massenführer ersetzt nicht eigentlich den vorhandenen Vater (...) Er selbst gebärdet sich dem Gewissen überlegen und fordert zu einer regressiven Gehorsams- und Bettelhaltung heraus, die zum Verhaltensstil des Kindes in der präödipalen Phase gehört. Versagt er, so wird er aufgegeben wie ein unrentabel gewordenes Bergwerk" [S. 348].

Ein Beispiel, wohin dies - gerade auf breiter Basis - führen kann, gibt es in der deutschen Geschichte (siehe auch 3.2).

"Jede Verantwortung bleibt ausdrücklich eine delegierte; es sei hier an die Worte *Hermann Görings* erinnert: 'Ich habe kein Gewissen, mein Gewissen heißt *Adolf Hitler*'" [*Mitscherlich*, 1969, S. 354].

4.2 Die Forschungsergebnisse zu den Auswirkungen von Vaterlosigkeit

Zu dem Thema "Vaterlose Kultur" scheint auch ein Rückblick auf die Forschungen zur faktischen Vaterlosigkeit sinnvoll. Es folgen sieben Unterpunkte, die in den Untersuchungen immer wieder auftauchten.

4.2.1 Impulskontrolle

Die von *Pohle-Hauß* [vgl. 1977, S. 145-146] und *Fthenakis* [vgl. 1985, Bd. 1, S. 346] beschriebenen Untersuchungen von *Mischel* (1958 und 1961) zum Befriedigungsaufschub von vaterpräsenten und vatergetrennten Kindern ergaben, daß vatergetrennte Kinder die unmittelbarere kleinere Belohnung der späteren größeren Belohnung vorzogen. Auf das Alter bezogen ließ dies Verhalten jedoch bei 11-14jährigen Vatergetrennten nach, bzw. es ließ sich nicht mehr nachweisen [vgl. *Pohle-Hauß*, 1977, S. 146].

Gleichzeitig ergaben sich durch Untersuchungen von *Mischel* Zusammenhänge bei Kindern, die die spätere Belohnung bevorzugten zu Leistung und eben nicht zu Delinquenz, Fügsamkeit oder Anpassung [vgl. *Pohle-Hauß*, 1977, S. 145].

Wohlford/Santrock (1970) fanden heraus, daß bei vatergetrennten Jungen, die ihren Vater in den ersten fünf Jahren verloren hatten, die Möglichkeit des Befriedigungsaufschubs am geringsten war [vgl. *Pohle-Hauß*, 1977, S. 146 u. *Fthenakis*, 1985, Bd. 1, S. 347]. Auch wirkten sich elterliche Scheidung (als Vaterverlust) bei den Jungen bemerkbar negativer auf die Fähigkeit ein Bedürfnis zurückzustellen aus als der Tod des Vaters [vgl. *Pohle-Hauß*, 1977, S. 146].

4.2.2 Kognitive Entwicklung

Die Annahme, daß sich Vatertrennung generell negativ auf die kognitive Entwicklung auswirkt, ist differenzierter zu betrachten und kann nur für bestimmte Bereiche zutreffen [vgl. *Pohle-Hauß*, 1977, S. 138].

Die Autorin zitiert Untersuchungen von *Carlsmith* (1964) und *Lessing/Zagorin/Nelson* (1970) und kommt zu dem Ergebnis, daß generell vatergetrennte Kinder als auch speziell vatergetrennte Jungen der Mittelschicht meist über einen höheren Verbal-Intelligenzquotienten verfügen als Kinder mit Vätern [vgl. *Pohle-Hauß*, 1977, S. 139 u. *Fthenakis*, 1985, Bd. 1, S. 342]. Das wird bei *Pohle-Hauß* [vgl. 1977, S. 139/140] als "feminin" getöntes Leistungsprofil gedeutet, welches durch mütterliche Unterstützung zustandekommt, was wiederum Müttern aus niedrigeren Schichten nicht möglich sei oder nicht gewollt werde.

Die bei *Pohle-Hauß* [vgl. 1977, S. 140] zitierten Untersuchungen von den Autor/inn/en *Martindale* (1972) und *Becker* (1974) sehen größeres kreatives Potential bei vatergetrennten Kindern allgemein, was *Fthenakis* aufgrund der Datenlage jedoch nicht feststellen kann [vgl. 1985, Bd. 1, S. 342].

Bei der Untersuchung der drei Autorinnen (*Lessing/Zagorin/Nelson*) stellten sich für die vatergetrennten Kinder aus der Arbeiter/innen-Schicht niedrige Werte des Verbal-, Handlungs- und Gesamt-IQ gegenüber den vaterpräsenten Kindern aus derselben Schicht heraus. Weiterhin ergaben sich - unabhängig von Geschlecht oder Sozialstatus - niedrige Werte des Handlungs-IQ bei Kindern mit längerer Vatertrennung; dies galt nicht für Kinder, die über einen Ersatz-Vater verfügten. [vgl. *Pohle-Hauß*, 1977, S. 139-140].

Blanchard und *Biller* (1971) verglichen Schulleistungen in bezug auf Vaterpräsenz und Zeitpunkt der Vatertrennung. Grundsätzlich, so fanden sie heraus, schnitten die vaterpräsenten Kinder besser ab. Und bei früh erfolgter Vatertrennung war der Leistungsunterschied besonders hoch [ebenda S. 141].

Auch der zitierte *Hjeholt* (1958) kam bei seiner Untersuchung zum Zusammenhang von Abbruch bzw. Abschluß von Kursen bei einer Militärschule in bezug auf Vatertrennung zu vergleichbaren Ergebnissen. Doppelt so hoch war die Anzahl der Kursabrecher/innen, die aus "unvollständigen" Familien stammten. Und auch der frühe Vaterverlust machte sich negativ bemerkbar [ebenda S. 142].

Eine weitere Untersuchung von *Santrock* (1972), auf die *Pohle-Hauß* [vgl. S. 143-144] verweist, beschäftigt sich mit den Gründen für die Vatertrennung:

- War Scheidung/Trennung vor dem 3. Lebensjahr der Grund, so waren die Auswirkungen auf die Leistungen der Jungen und Mädchen am deutlichsten.

- Der Verlust des Vaters durch Tod hatte hingegen Auswirkungen auf Jungen, die zwischen 6 und 9 Jahre alt waren.

- Insgesamt waren die Leistungen der vatergetrennten Jungen schlechter als die der vatergetrennten Mädchen.

- Der neue Partner der Mutter hatte einen positiven Einfluß auf die Leistungen des Jungen, wenn er vor dem 5. Lebensjahr des Jungen dazukam.

- Jungen, die ihren Vater sehr früh durch Tod verloren hatten, hatten überraschenderweise zum Teil bessere Ergebnisse als Jungen mit Vater und immer bessere Ergebnisse als die spät vatergetrennten Jungen.

Fthenakis [vgl. 1985, Bd. 1, S. 336-344] kommt zu ähnlichen Ergebnissen bei seinen Betrachtungen der Forschung zu den Auswirkungen der Vaterabwesenheit auf die kognitive Entwicklung des Kindes:

- Die nachteiligste Art des Vaterverlustes für ein Kind ist die Trennung/Scheidung der Eltern.

- Je jünger das Kind, desto stärker sind die negativen Auswirkungen der Vaterabwesenheit.

- Die Leistungen der Kinder sinken mit einer geringerwerdenden Verfügbarkeit des Vaters.

- Der neue Partner der Mutter (Vaterersatz) sorgt automatisch für gleich gute kognitive Leistungen beim Sohn im Vergleich zu anderen Jungen mit Vater; wobei hierbei gilt, daß sich seine Anwesenheit umso positiver auswirkt, je früher sie erfolgt bzw. je jünger das Kind ist.

- Jungen werden durch die Vaterabwesenheit stärker negativ beeinflußt als Mädchen.
- Für Kinder aus stärker patriarchal orientierten Kulturen sind die negativen Auswirkungen noch größer.
- Je größer die Familie desto deutlicher wirken sich die negativen Folgen der Vaterabwesenheit aus.

4.2.3 Delinquenz

Bei einer Untersuchung von *Chinn* (1938) wurde herausgefunden, daß überdurchschnittlich viele (fast ein Drittel von den Untersuchten) delinquente Jugendliche ihren Vater durch Tod verloren hatten [vgl. *Pohle-Hauß*, 1977, S. 108].

Pohle-Hauß weist ebenfalls durch ihre Betrachtung der Forschungsergebnisse (*Anderson* 1968; *Mosher* 1969; *Newman/Denman* 1970) nach, daß bei Inhaftierten eine hohe Anzahl mit Vaterabwesenheit konfrontiert war und dies gerade auf die schwarzen, afroamerikanischen Inhaftierten zutraf (*Anderson* 1968; *Mosher* 1969) [vgl. 1977, S. 114-115 u. 109/110]. Ich habe mich an dieser und an späterer Stelle dazu entschlossen, die von *Pohle-Hauß* benutzten Begriffe "Neger" und "Rasse" mit zeitgemäßeren Formulierungen, wie "Afroamerikaner" und "Kultur" zu übersetzen.

Gerade das Zusammenfallen der großen Anzahl vaterloser afroamerikanischer Familien und afroamerikanischer Inhaftierten (was heute noch zutrifft) zeigt deutlich, daß hier ein Zusammenhang besteht, nicht nur zwischen geschichtlicher Unterdrückung der Afroamerikaner/innen und ihrer Kriminalität, (tendenzieller) Vaterlosigkeit und Kriminalität, sondern auch zwischen Vaterlosigkeit und destruktiver Aggressivität [vgl. *Mc Donald*, 1938 nach *Pohle-Hauß*, 1977, S. 117]. Letzteren Zusammenhang greife ich unter 4.3 noch einmal auf.

Pohle-Hauß [vgl. S. 116] spricht von einer direkten Identifizierung mit dem schwachen und triebhaften Vater und von einem Abwehrmechanismus gegen eine weibliche Identifizierung. Als Beweis verweist sie auf eine österreichische Studie (*Schindler* 1967), die einen Deliquenzanstieg bei männlichen Jugendlichen nach den Weltkriegen ausmachte.

Auch soll die Vaterabwesenheit einen negativen Einfluß auf die Rückfälligkeit von Straffälligkeit haben [*Kelly/Baer,* 1969 nach *Pohle-Hauß*, 1977, S. 117].

Der von *Pohle-Hauß* [vgl. S. 118] zitierte *Moerk* (1973) betont, daß bei seinem Studienvergleich nicht die Vaterabwesenheit das Problem der Söhne von inhaftierten und geschiedenen Vätern ist, sondern ein negatives Identifizierungsmodell mit dem Vater besteht, bevor die Trennung zu ihm einsetzt. Dies halte ich für einen wichtigen Punkt, der erneut unterstreichen soll, daß die Qualität der Vaterbeziehung und des Vatervorbildes auch eine große Rolle spielt.

4.2.4 Verhaltensauffälligkeiten/-störungen

Fthenakis [vgl. 1985, Bd. 1, S. 359 u. 362] weist anhand von einigen Studien nach, daß es bei Kindern, die ohne Vater aufwuchsen, zu einer Beeinträchtigung der psychosozialen Entwicklung kam (*Baggett* 1967; *Cortes/Fleming* 1968; *Oshman/Manosevitz* 1976). Er schreibt von psychischer Labilität (*Santrock* 1970), ängstlichem Verhalten (*Koch* 1961; *Stoltz* 1954) und von geringem Vertrauen in sich und andere im Unterschied zu Kindern mit vorhandenem Vater (*Oshman/Manosevitz* 1976).

Weitere Ergebnisse der von *Fthenakis* [ebenda] zitierten Forschungen sind, daß Jungen mit Gleichaltrigen schlechter zurechtkommen und weniger beliebt bei diesen sind (*Leidermann* 1953; *Miller* 1961; *Mitchell/Wilson* 1967; *Stoltz* 1954; *Tiller* 1958). Andere Autoren prognostizieren nach *Fthenakis* bei den betroffenen Jungen, daß sie später Unterstützung von Psycholog/inn/en in Anspruch nehmen (*Gregory* 1965) und Schwierigkeiten in der Ehe mit der Partnerin bekommen (*Gurin/Veroff/Feld* 1960; *Langner/Michael* 1963; *Pettigrew* 1964; *Rohrer/Edmonson*

1960). Auch für die Verhaltensauffälligkeiten gilt, daß sich der Vaterverlust innerhalb der ersten zwei Lebensjahre stärker auswirkt als der spätere Verlust (*Santrock* 1970). *Fthenakis* geht jedoch davon aus, daß die Auswirkungen auch auf die lange Dauer der Vaterabwesenheit zurückzuführen sein könnten.

Bagett (1967) stellte nach *Fthenakis* [vgl. 1985, Bd. 1, S. 362] und *Pohle-Hauß* [vgl. 1977, S. 127] fest, daß die psychosoziale Anpassung von durch Scheidung oder Tod vatergetrennten Studenten schlechter ist als die anderer Studenten, wobei die durch Scheidung Betroffenen am auffälligsten sind.

Außerdem interessant ist die Betrachtung von *Pohle-Hauß* [vgl. 1977, S. 127] zur *Reuter/Biller*-Studie (1973), wo nicht nur die Vaterpräsenz untersucht wurde, sondern auch die akzeptierende, positive Einstellung (nurturance) des Vaters zum Sohn. Hier zeigte sich, daß die besten Testergebnisse von Söhnen mit hoher Vaterpräsenz und mindestens mittelerer nurturance erreicht wurden. Ebenfalls wurde deutlich, daß weder alleine die Präsenz noch die positive Einstellung zum Sohn genügt, sondern daß es auf die Kombination von beiden für eine positive Persönlichkeitsentwicklung ankommt.

Diese aufgezählten Daten und Fakten gelten für nicht auffällig klassifizierte Kinder und angehende Erwachsene.

Manifestere Störungen wurden wie folgt beobachtet:

Fthenakis [vgl. 1985, Bd. 1, S. 363] fand bei 17 Untersuchungen diagnostizierte Verhaltens- und Persönlichkeitsstörungen in bezug auf die Vaterabwesenheit. Bei Kindern, die aus getrennten oder geschiedenen Ehen kamen, wurden Schulprobleme, Aggressivität und antisoziales Verhalten festgestellt, während es bei Kindern von Witwen um Ängste und Depressionen ging (*Caplan/Douglas* 1969; *Tuckman/Regan* 1966). *Pedersen* (1966) hingegen fand keinen Unterschied zur Vaterabwesenheit bei auffälligen und nicht-auffälligen Kindern, sondern nur von der Schwere der Störung zur Dauer der Vaterabwesenheit bei Betroffenen einen Zusammenhang [vgl. *Fthenakis*, 1985 Bd. 1, S. 363 u. *Pohle-Hauß*, 1977, S. 122 anhand einer anderen Studie].

Wiederum für die massiven Störungen gilt:

"Je länger der Vater abwesend war und je jünger das Kind zum Zeitpunkt der Trennung war, desto gravierender waren die Störungen des Kindes" [*Fthenakis*, 1985, Bd. 1, S. 363].

Gerade diese Kombination sorgt nach *Pohle-Hauß* [vgl. 1977, S. 123] für schwerwiegende Aggressionen der Betroffenen.

Eine von *Fthenakis* zitierte andere Studie (*Kagel/White/Coyne* 1978) vertritt ein völlig entgegengesetztes Ergebnis. Verhaltensstörungen haben hiernach mehr mit weniger "warmen", unterstützenden oder expressiven Familienbeziehungen zu tun, anstatt mit Vaterabwesenheit [vgl. 1985, Bd. 1, S. 363/364].

Andere Untersuchungen im Erwachsenenalter zum Zusammenhang von Vaterlosigkeit und "gestörtem" Verhalten ergaben kein einheitliches Ergebnis (Einige Studien sahen einen deutlichen Zusammenhang bei drogensüchtigen, schizophrenen, neurotischen, depressiven Menschen oder auch bei Selbstmordversuchen, andere keinen) [vgl. *Fthenakis*, 1985, Bd. 1, S. 364].

Pohle-Hauß [vgl. 1977, S. 123-125] macht noch auf eine Untersuchung von *Trunnel* (1968) aufmerksam. Aus dieser geht ein Zusammenhang von früher Vatertrennung sowie mit Problemen sexueller Identität bzw. latenter Homosexualität hervor. Dies wurde durch Studien von *West* (1959, 1967) und *O'Connor* (1964) ebenfalls herausgefunden [vgl. *Pohle-Hauß*, 1977, S. 125]. Wobei die Abhandlung von (latenter) Homosexualität unter den Rubriken Verhaltensauffälligkeiten/-störungen unpassend scheint. Heute wird von sexueller Orientierung gesprochen, auf die die Vaterlosigkeit scheinbar auch einen Einfluß hat.

Die vielfältigen und unterschiedlichen Ergebnisse der Studien machen "(...) deutlich, wie erst die Verkettung mehrerer ungünstiger Umstände zu schweren psychopathologischen Veränderungen im vatergetrennten Kind führen" [*Pohle-Hauß*, 1977, S. 125].

4.2.5 Kulturelle Unterschiede

Biller (1968) untersuchte aufgrund der matriarchalen Familienstruktur der Afroamerikaner/innen, ob die Vaterabwesenheit vergleichbare (gegenüber den amerikanischen weißen Jungen) Auswirkungen auf die Geschlechtsrollenentwicklung der Jungen hat oder ob der abwesende Vater bei den afroamerikanischen Familien wegen seiner geringen Erziehungsbeteiligung keine besondere Rolle spielt [vgl. *Pohle-Hauß*, 1977, S. 112]. Zugrundegelegt wurde hierbei die Beobachtung, daß afroamerikanische Jungen über eine stärkere kompensatorische Maskulinität verfügen als amerikanische Jungen.

Biller kam bei seiner Untersuchung zu folgenden Ergebnissen:

- Vaterpräsente amerikanische Jungen verfügten über die höchste Ausprägung von Maskulinität.

- Vatergetrennte afroamerikanische Jungen hingegen hatten die niedrigste maskuline Ausprägung. Dies wird mit der zusätzlichen körperlichen Abwesenheit des Vaters bei den afroamerikanischen Jungen gedeutet, der zur psychischen Abwesenheit noch hinzukommt. Dadurch wird die Ausbildung von Maskulinität zusätzlich erschwert.

- Keine signifikanten Unterschiede soll es zwischen den vatergetrennten amerikanischen und den vaterpräsenten afroamerikanischen Jungen gegeben haben.

Hartnagel (1970) stimmt mit *Biller* überein. Auch er beschreibt - nach Tests zu normativen Bildern ("Wie ich sein soll") und Selbstbildern ("Wie ich bin") von amerikanischen und afroamerikanischen Jungen - wie sich die afroamerikanischen Jungen wegen ihres geringen Selbstwerts und des damit zusammenhängenden Schutzmechanismus für mutiger, stärker und größer hielten.

Hetherington hingegen fand heraus, daß hier kein Zusammenhang besteht (1966) [vgl. *Pohle-Hauß*, 1977, S. 111-112].

Fthenakis [vgl. 1985, Bd. 1, S. 356] bestreitet ebenso diese unterschiedlichen Auswirkungen für Jungen in anderen Kulturen: Er beruft sich auf ähnliche Ergebnisse von Studien zu amerikanischen (*Drake/McDougall* 1977; *Hetherington* 1974), afro-amerikanischen (*Badaines* 1973, *D'Andrade* 1973, *Hetherington* 1974) oder mexiko-amerikanischen Kindern (*Badaines* 1973; *LeCorgne/Lasosa* 1976).

4.2.6 Identifizierung/Geschlechtsrollenentwicklunug

Bei der folgenden Betrachtung der Forschungsergebnisse wird es sich nicht vermeiden lassen, daß Begrifflichkeiten unterschiedlich benutzt werden, daß verallgemeinert und verglichen wird, wo eine Differenzierung notwendig ist. Das geschieht vor allem durch in der Literatur verwendete Begriffe, wie "Aggressivität", "weiblich", "männlich", "maskulin", "feminin", "Identifizierung", "Geschlechtsrolle" oder "geschlechtsspezifisches Verhalten".

Fthenakis [vgl. 1985, Bd. 1, S. 349] und *Pohle-Hauß* [vgl. 1977, S. 100] verweisen auf eine Differenzierung von *Biller/Borstelmann* 1967 bzw. *Biller* 1968 nach *Lynn* 1959, die eine Aufteilung in

- Geschlechtsrollenorientierung

- Geschlechtsrollenbevorzugung

- und Geschlechtsrollenannahme (Beurteilung von außen)

vorsieht.

Unklar bleibt, ob hier das von *Parsons* vorgestellte Modell der Geschlechterrollen gemeint ist. Wenn dies zutrifft, stellt sich die Frage, warum dies alleine sinnvoll sein soll beispielsweise in Abgrenzung zum Lernmodell oder zum psychoanalytischen Identifizierungsmodell.

Badaines (1973), *D'Andrade* (1973), *Lynn/Sawrey* (1959) und *Biller/Bahm* (1971) stellten insgesamt bei vatergetrennten Jungen fest, daß diese weniger maskuline Identität bzw. ein weniger männliches Selbstkonzept hatten [vgl. *Fthenakis*, 1985, Bd. 1, S. 349].

94

Die Abwesenheit des Vater beeinflußt die Geschlechtsrollenorientierung am meisten (*Biller* 1968 u. 1969; *Drake/McDougall* 1977; *Leichty* 1960). Über den Einfluß von Vaterabwesenheit auf die Geschlechtsrollenbevorzugung weichen die wissenschaftlichen Ergebnisse extrem voneinander ab, so daß hierüber keine Aussage getroffen werden kann. Die Annahme der Geschlechterrolle bei den vaterlosen Jungen bleibt nie völlig aus. Außerdem gibt es vom "männlichen" Verhalten keine Unterschiede zwischen Jungen mit oder ohne Vater (*Biller* 1969; *Covell/Turnbull* 1982; *Drake/McDougall* 1977; *Tiller* 1961) [ebenda].

Pohle-Hauß [vgl. 1977, S. 102] bestätigt das negativste Ergebnis für die Geschlechtsrollenorientierung mit dem Zusatz, daß dies besonders für Jungen mit Vatertrennung vor dem fünften Lebensjahr gilt.

Auf der Ebene der Lerntheorie imitieren vatergetrennte wie vaterpräsente Jungen "männliches" Verhalten eher als "weibliches" (*Badaines* 1973) [vgl. *Fthenakis*, 1985, Bd. 1, S. 349]. Hier ist höchstens zu fragen, inwiefern es sich um kompensatorisches Verhalten handelt. Weiterhin sind immer die Testverfahren oder Verhaltensbeobachtungen in ihrer Interpretation verschieden möglich.

Gerade zur Untersuchung von geschlechtsspezifischem Verhalten wurden in der Forschung die Variablen "Aggressivität" und "Unabhängigkeit" benutzt. Hierbei scheint ein Maß an Durchsetzungsfähigkeit als "männlich" zu gelten, was unter moralischen Gesichtspunkten schnell als auffällig beurteilt wird. Das richtige Maß dabei auszuloten, scheint vatergetrennten Jungen schwerer zu fallen [vgl. *Fthenakis*, 1985, Bd. 1, S. 350]. Aggression wird als Begriff oft mit Gewalttätigkeit assoziiert; dies stellt aber nur die destruktive Variante dar. (Konstruktive) Aggression bedeutet erstmal "angreifen", sich Ziele setzen und darauf zugehen [vgl. auch *Lempert/Oelemann*, 1998, S. 17 und *Petri*, 1997, S. 55].

Neben erlerntem Verhalten durch die geschlechtsspezifische Sozialisation spielt bei Aggressionen die aktivitätssteigernde Wirkung des Testosterons und die Auswirkungen der jahrhundertelangen Konkurrenzkämpfe der Männer eine Rolle [vgl. *Petri*, 1997, S. 52].

"Die Alternative, ob angeboren oder durch Umwelteinflüsse erworben, läßt sich heute nach allen vorliegenden Forschungsergebnissen dahingehend auflösen, daß es ein angeborenes, aggressiv-motorisches Potential gibt, das unter dem Einfluß positiver oder negativer emotionaler Erfahrungen, Vorbilder und Lernprozesse in verschiedene Richtungen gelenkt werden kann" [*Petri*, 1997, S. 54].

Die Forschungsergebnisse zum geschlechtsspezifischen Verhalten besagen, daß sich die Vaterabwesenheit bei kleineren Jungen mit geringerer Aggressivität (*Bach* 1946; *Sears* 1951; *Sears/Pintler/Sears* 1946) und mit geringerer Unabhängigkeit (*Lynn/Sawrey* 1959; *Santrock* 1970; *Tiller* 1961) sowohl im Spiel als auch im Umgang mit Gleichaltrigen (*Hetherington* 1974; *Santrock* 1970; *Stoltz* 1954) auswirkt. Im Grundschulalter findet jedoch ein Wechsel statt: Hier agieren die vatergetrennten Jungen aggressiver und unabhängiger als die vaterpräsenten (*Santrock/Wohlford* 1970; *Santrock* 1974) [vgl. *Fthenakis*, 1985, Bd. 1, S. 350/351 u. *Pohle-Hauß*, 1977, S. 65-91]. *Pohle-Hauß* [vgl. 1977, S. 106] beschäftigt sich ebenfalls mit der Untersuchung von *Santrock/Wohlford* (1970) und schreibt, daß ein maskulin-aggressives Verhalten bei Jungen dominanter ist, je später der Vaterverlust eintritt.

Auch hierbei kommen wieder die öfter nachgewiesenen Besonderheiten zum Ausdruck, nämlich daß sich zum einen Jungen aus geschiedenen Ehen aggressiver verhielten als solche, die den Vater durch Tod verloren hatten. Und daß Jungen, deren Vater früh abwesend war, mit besonderem Ungehorsam und mit einer Tendenz zu asozialem Verhalten (Betrügen, Stehlen, Lügen) auffielen [vgl. *Fthenakis*, 1985, Bd. 1, S. 350/351 u. *Pohle-Hauß*, 1977, S. 106-108].

Eine positive Wirkung auf die Geschlechtsrollenentwicklung haben andere männliche Bezugspersonen wie: ältere Brüder, Großväter oder neue Partner der Mutter in der Familie (*Santrock* 1970; *Wohlford/Santrock/Berger* 1971) [vgl. *Fthenakis*, 1985, Bd. 1, S. 355].

4.2.7 Moralische Entwicklung

Ähnlich wie bei den Schwierigkeiten, Aggression als Kategorie zu erfassen, ist es mit der moralischen Einstellung. Darunter fallen viele unterschiedliche Verhaltensweisen, welche dann untersuchungsübergreifend verglichen werden und schließlich zu verzerrten Ergebnissen führen [vgl. auch *Fthenakis*, 1985, Bd. 1, S. 345].

In der Zusammenfassung der Studien (von *Hoffmann* 1971; *Holstein* 1972; *Kersey* 1973; *Lavinson* 1970; *Meerloo* 1956; *Mischel* 1961, *Santrock* 1974; *Santrock/Wohlford* 1970) sind für *Fthenakis* Kinder, die von Vatertrennung betroffen sind, moralisch unreifer [vgl. 1985, Bd. 1, S. 346].

Im einzelnen tauchen dabei häufig Regelverletzung, Aggressivität, Schwierigkeiten langzeitige Verpflichtungen einzugehen, mangelnde Selbst- und soziale Verantwortlichkeit, Delinquenz sowie Verlust an Aufstiegsmotivation, weniger Schuld- und Schamgefühl nach Regelverletzungen als Indikatoren für Moral auf. Ebenso wurde bei diesem Punkt erneut herausgefunden, daß sich der Tod des Vaters nicht so extrem bei den Jungen auswirkt wie der Vaterverlust durch Trennung der Eltern [vgl. *Fthenakis*, 1985, Bd. 1, S. 346/347].

Nach der Identifizierungs- und Rollentheorie hängt das Verhalten der Jungen mit dem abwesenden Vermittler der gesellschaftlichen Normen - also dem Vater - zusammen (siehe 3.1 und 4.1).

4.2.8 Zusammenfassung, Kritik und Ausblick

Bei den meisten Unterpunkten (4.2.1- 4.2.7) wurde bis auf wenige Ausnahmen immer wieder problematisiert, daß sich die Vatertrennung allgemein negativ auswirkt auf:

- die Impulskontrolle,
- die kognitive Entwicklung (hier mit Ausnahmen),
- die Entstehung von Verhaltensauffälligkeiten/-störungen,

- die Entstehung von Delinquenz,
- patriarchalische Kulturen (hier mit Ausnahmen),
- die Geschlechtsrollenentwicklung und
- die moralische Entwicklung.

Im einzelnen wirken sich
- gerade die Trennung während der ersten zwei bis fünf Lebensjahre der Jungen,
- im besonderen der Verlust durch Trennung/Scheidung
- und manchmal auch die lange anhaltende Vatertrennung
noch massiver aus als eine spätere, kurze oder durch Tod verursachte Vatertrennung.

Nicht zu vergessen sei auch, daß die Anwesenheit allein noch kein Allheilmittel ist, sondern daß gerade die Kindesannahme und die Intensität des Kontaktes durch den Vater oder auch durch eine Vaterersatzfigur eine erhebliche Rolle spielt.

Weiterhin muß bedacht werden, daß monokausale Erklärungsansätze zu kurz greifen und erst die Verkettung ungünstiger Umstände zu erhöhter Problematik bei den Jungen führt. Zum Beispiel kann es für einen Jungen, der aus der Arbeiter/innen-Schicht stammt, besonders ungünstig sein, daß er im zweiten Lebensjahr den Vater durch Trennung verloren, seine Mutter erst nach einigen Jahren wieder einen neuen Lebenspartner gefunden, sie auch über keine gute familäre bzw. soziale Unterstützung verfügt hat und sich aus finanzieller Not ebenfalls nicht vermehrt um den Jungen hat kümmern können.

Anschließend ist bei empirischer Forschung immer zu bedenken, wie repräsentativ das Material ist, wie sicher und genau das Testverfahren in bezug auf die Ergebnisse ist und vor allem wie die Ergebnisse interpretiert worden sind (Z.B. besteht die Gefahr der ideologischen Deutung).

Zudem sind in den meisten Untersuchungen die verwendeten Begriffe und Variablen genauer zu definieren, z.B. welche (zu untersuchende) Unterpunkte unter "kognitive Entwicklung", "Delinquenz", "Verhaltensauffälligkeit", "Geschlechtsrolle" oder

"Moral" fallen. Stärker noch gilt diese Kritik für die unterschiedlichen Begriffe der Untersuchung überhaupt: "Vaterabwesenheit", "Vaterverlust", "Vaterlosigkeit" oder "Vatertrennung" meinen teilweise Unterschiedliches [vgl. *Pohle-Hauß*, 1977, S. 147 u. *Fthenakis*, 1985, Bd. 1, S. 367].

Insgesamt bleibt eine Restunsicherheit, ob sich die Untersuchungen, die weitgehend aus den USA stammen, eins zu eins auf deutsche und europäische Kultur übertragen lassen [vgl. *Pohle-Hauß*, 1977, S. 147].

Für zukünftige Untersuchungen machen *Fthenakis* [vgl. 1985, Bd. 1, S. 367-369] und *Pohle-Hauß* [vgl. 1977, S. 148] eine ganze Reihe von Vorschlägen:

- Genauere Beachtung von Dauer und Grund der Vaterabwesenheit
- Der Grad der Vaterpräsenz bei der Vergleichsgruppe
- Stand der Beziehungen zwischen den Eltern und Vater-Kind vor der Trennung
- Das Verhalten der Mutter und ihre soziale Stellung nach der Trennung
- Die Vaterdarstellung durch die Mutter
- Präsenz von Vaterersatzfiguren
- Miteinbeziehung der kindlichen Perspektive
- Bedeutung der Peer-group
- Gesamteinbindung der Familie: Großeltern, Anzahl der Geschwister, Freundeskreis
- Studien über längere Zeit

Abschließend bleibt noch festzustellen, daß sich diese zitierten Forschungen auf den abwesenden Vater beziehen, mein Untersuchungsgegenstand aber eher die vaterlose Kultur bzw. die (tendenzielle) Vaterlosigkeit ist. Dieser Gegensatz läßt sich meines Erachtens auflösen, indem davon ausgegangen werden kann, daß alle aufgeführten Gefährdungen auch anteilig für alle anderen Jungen gelten, weil Väter aus verschiedenen Gründen (siehe Punkt 3.1 - 3.8) in der Regel nicht an der Erziehung teilnehmen. Dies wird gerade in der Übereinstimmung von den besprochenen Forschungsergebnissen mit den Auswirkungs-Auflistungen von *Corneaux* und *Bode/Wolf* unter 4.1 deutlich.

4.3 Aggression und Gewalttätigkeit

Eine der zentralen Auswirkungen vaterloser Kultur sind sicherlich die destruktiven Aggressionen, bzw. die Gewalttätigkeit von Jungen und Männern.

Den Aggressionsbegriff hatte ich unter 4.2.6 schon differenzierter betrachtet, demnach steht hier noch eine Differenzierung zum Begriff der Gewalttätigkeit aus. Gewalt kann physischer oder psychischer Natur sein. Durch die Unterschiede der Körperkraft und der sozialen Kompetenz zwischen Männern und Frauen - aber auch durch die Geschlechterrollen - neigen Frauen eher zu psychischer und Männer eher zu physischer Gewalt für ihre "ohnmächtigen" Durchsetzungsstrategien. Weitere Einflüsse für Gewalttätigkeit sind bei den kindlichen Gewalterfahrungen der Täter/innen zu suchen. Gerade innerhalb von heterosexuellen Liebesbeziehungen entsteht nicht selten ein Teufelskreislauf durch die unterschiedlichen Gewalt-Strategien.

In bezug auf Aggression und Gewalttätigkeit bei Jungen, die in vaterloser Kultur aufwachsen, war bisher die Rede von geringer Sozial- und Eigenverantwortlichkeit (siehe 3.1, 3.2, 3.7, 4.1, 4.2.4, 4.2.6 und 4.2.7), geringer maskuliner Identität (siehe 3.1, 3.2, 3.3.1, 3.7, 3.8, 4.1 und 4.2.6), psychischer Labilität (siehe 3.1, 3.7, 4.1 und 4.2.4), ängstlichem Verhalten (siehe 3.1, 3.2, 3.7, 4.1 und 4.2.4), Schwierigkeiten mit sozialen Kontakten (siehe 3.1, 3.7, 4.1 und 4.2.4), Problemen mit Straffälligkeit (siehe 4.1 und 4.2.3), und Depressions-/Aggressions-Schwierigkeiten (siehe 4.1, 4.2.4, 4.2.6 und 4.2.7).

Wie die Forschungsergebnisse in bezug auf Aggression und Gewalttätigkeit nahelegen (siehe 4.1 und 4.2.6), entsteht eine gehemmte Aggressivität (vor allem in den ersten Lebensjahren) oder eine Art destruktiver Daueraggression nach außen (vor allem in der Grundschulzeit). Auch wenn Verallgemeinerungen ungenau sind, gehe ich ebenso für erwachsene Männer von diesen beiden Formen aus, um mich der Realität anzunähern. Im ersten Fall der gehemmten Aggressivität besteht die Gefahr der plötzlichen und aufgestauten physischen Gewaltentladung bei starkem Druck, während bei der zweiten Variante ständig mit physischer Gewalt zu rechnen ist.

Das bedeutet, daß ein regulierter Zugang zur eigenen Aggressivität Männern in der Regel große Probleme bereitet, daß es ihnen meist schwer fällt, verbal ihre Grenzen zu wahren, sie entweder erstmal schweigen (eine Grenzüberschreitung bei sich nicht rechtzeitig merken) oder sie umgehend destruktiv-aggressiv bzw. gewalttätig werden. Dies hängt auch stark mit der männlichen Sozialisation, dem Schweigen, dem "Stark-sein-Müssen" und den dazugehörigen Gefühlsverboten zusammen (siehe 3.7). "Wer den Schmerz, die Angst, die Hilflosigkeit oder die Wut im Konfliktfall nicht spürt, kann auch keine Grenzen setzen" [*Ax*, 1996, S. 18] und läuft Gefahr, so lange psychische Verletzungen zu sammeln, bis er zum Wutausbruch gelangt, welcher gewalttätige Formen gegen sich und andere beinhalten kann. Dies findet sich in sozialpädagogischer Praxis sowohl bei Kindern, Jugendlichen als auch bei Erwachsenen, die von (tendenzieller) Vaterlosigkeit betroffen sind, immer wieder bestätigt.

Ein weiterer Aspekt, der mit der Sozialisation der Jungen zusammenfällt, ist die Erziehung zum Familien- und Landesbeschützer, die einen legitimeren Zugang zu physischer Gewalt vorsieht [vgl. *Harten*, 1995, S. 159].

Dies alles soll aber nicht die Verantwortung für das physisch-gewalttätige Handeln verwischen [vgl. auch *Lempert/Oelemann*, 1998, S. 10/12], sondern die Verständlichkeit erhöhen. Denn wer den ganzen Komplex der physischen Gewalt nicht versteht, kann auch keinen Ausweg aufzeigen.

Nach *Corneaux* [vgl. 1993, S. 153/154] entstehen durch (tendenzielle) Vaterlosigkeit nicht zwei sondern vier Typen:

- Der Selbsthasser

- Der Sündenbock-Sucher

- Der Aggressor-Verehrer

- Der sexualisierende Aggressor

Ein Grundstein hierfür wird durch eine mütterlich-festhaltende Erziehung zu Höflichkeit und Zurückhaltung gelegt [vgl. *Corneaux*, 1993, S. 149]. In Kombination mit dem (tendenziell) abwesenden Vater wird dem Jungen die männliche, kräftige und durchdringende Energie und deren Beherrschung vorenthalten, so daß es zur Ablehnung und negativen Verschiebung der Aggressionen kommen kann [vgl. *Corneaux*, 1993, S. 154/155].

Ohne die Integration der unterdrückten oder verschobenen Aggressionen durch Verstehen in Bildungsprozessen, durch symbolisches Ausagieren in Selbsterfahrung oder Psychotherapie scheint es wenig Möglichkeiten zu geben, einen geregelten Umgang mit den destruktiven Aggressionen zu finden. *Corneaux* oder *Bly* sprechen als Ziel vom mythischen Bild des wilden Mannes, der seinen "Schatten" integriert hat und nicht gewalttätig werden muß (vgl. auch 3.6).

Ein Teil der Untersuchung von *Heinsohn* [1995, S. 97-101] beschäftigt sich mit den Gründen für die Greueltaten des Naziregims. Dort ist unter anderem auch von Vaterlosigkeit die Rede. Neben der Lustunterdrückung zu der Zeit und dem entstehenden sado-masochistischen/autoritären Charakter, der eine gezielte Aggressionsabfuhr möglich macht (*Wilhelm Reich*: Massenpsychologie des Faschismus, 1933), weist *Heinsohn auf Abel* (1966), der durch seine Untersuchung von "Marschierer-Kämpfern" der NSDAP nachweist, daß sich diese aus überdurchschnittlich vielen Söhnen von Kriegerwitwen zusammensetzten.

"Sie legten das typisch aggressive sadomasochistische Verhalten an den Tag, das bei vaterlos aufwachsenden Jungen eher zu erwarten ist als bei solchen, die sich fürsorgliche Väter, also eine beschützende Stärke zum Vorbild nehmen können. Sie werden weniger schnell darauf verfallen, ihr Unglück den Imagines von 'böser', 'schwächlicher' oder 'schlechter' Weiblichkeit anzulasten und dann lustvoll über Schwächere herfallen" [*Heinsohn*, 1995, S. 100].

Blankenhorn [vgl. 1995, S. 25-48] macht diesen Zusammenhang von Vaterlosigkeit und Gewalt ebenfalls aus (Obwohl er den Gewaltbegriff nicht differenziert betrachtet, ist scheinbar physische Gewalt gemeint). Insgesamt sieht er fünf gravierende Auswirkungen von Vaterlosigkeit:

- jugendliche Gewalt (youth violence)

- häusliche Gewalt gegen Frauen (domestic violence against women)

- sexuellen Mißbrauch an Kindern (child sexual abuse)

- Kinderarmut und finanzielle Unsicherheit (child poverty and economic insecurity) und

- das Kindergebären im Jugendalter (adolescent childbearing)

Blankenhorn verweist auf Statistiken, die besagen, daß die jugendliche Gewalt von 1965 bis 1991 enorm angestiegen ist [vgl. S. 26, bzw. S. 241], genau wie die Anzahl der vaterlosen Familien in diesen Jahren (1990 lebten in den USA nur noch 61,7% der Kinder mit ihrem biologischen Vater zusammmen) [vgl. S. 18/19].

"When the process of male identity does not succeed - when the boy cannot seperate from the mother, cannot become the son of his father - one main result, in clinical terms, is rage. Rage against the mother, against the women, against society." [S. 30]

Blankenhorn geht davon aus, daß dem Problem nicht ausreichend mit Sozialarbeitern, Psychologen und Mentoren beizukommen ist, weil diese nicht den Vater ersetzen können [vgl. S. 32]. Den Vater ganz zu ersetzen ist sicherlich nicht möglich, doch ist hier anteilig sicherlich Hilfe von Kindern und Jugendlichen annehmbar. Recht hat *Blankenhorn* damit, daß die psychischen Grundlagen der Jungen für gute Beziehungen zum Vater und somit zu männlichen Bezugspersonen stark angegriffen sind.

Weiterhin weist er darauf hin, daß verheiratete Frauen von physicher Gewalt ihres Mannes weit weniger bedroht sind als Frauen, die allein mit wechselnden Partnern leben, Frauen die in Partnerschaft ohne Trauschein leben oder Frauen, die Ex-Männer haben [vgl. S. 34/35]. Die Ehe kann wohl kaum der ausschlaggebende Grund für Glück, gute Partnerschaft, aktive Vaterschaft und Gewaltlosigkeit sein (Außerdem ist die Dunkelziffer der physischen Gewalt bei Verheirateten sicherlich größer als die der anderen Lebensformen). Der Behauptung von *Blankenhorn* halte ich entgegen, daß primär aktive Vaterschaft und Konfliktfähigkeit von Männern und Frauen entscheidend sind bei physischem Gewaltverzicht und nicht das Verheiratet-Sein.

Insgesamt kann Vaterschaft als kulturstiftendes Gut gesehen werden:

"Indeed, many anthropologists view the rise of fatherhood as the key to the emergence of the human family and, ultimately, of human civilization" [*Blankenhorn*, 1995, S. 25].

4.4 Inzestuöse Verwicklungen und Übergriffe

Wie gezeigt ist in der Regel die Mutter-Sohn-Beziehung überlastet durch das fehlende väterliche Vorbild (3.1), die Weltkriege (3.2), die geschlechtsspezifische Arbeitsteilung (3.3), die Scheidungen, Trennungen und Sorgerechtsregelungen (3.4), die Reproduktionsmedizin (3.5), das männliche Schweigen (3.7) und die mangelnde Identität der Väter (3.8). Dies führt oft zu inzestuösen oder inzestuösartigen Verstrickungen.

Den leeren Platz des Vaters und Partners übernimmt - wenn im Familiensystem vorhanden - automatisch einer der Söhne. Mit ihm bespricht die Mutter die Sorgen, plant Familiäres und holt sich Trost bei ihm [vgl. z.B. *Jellouscheck*, 1996a, S. 112].

"Selbst wenn die Frau sich dieser Gefahr durchaus bewußt ist (...), kann sich dieser Prozeß dennoch vollziehen. Denn Kinder (...) merken die emotinalen Defizite der Eltern, und weil sie wollen, daß es ihnen gut geht, übernehmen sie von sich aus derartige Rollen (...)" [*Jellouscheck*, 1996a, S. 112].

Der Sohn hat zuviel Verantwortung, ist emotional überlastet und wird auch noch zum Rivalen des Vaters. Letzteres wird er nicht zuletzt deshalb, weil er die negative Meinung der Mutter über den Vater annimmt. Das hat eine Art Spaltung der männlichen Identität für ihn zur Folge, und es entsteht eine emotional-inzestuöse Verwicklung, die auch körperlich werden kann.

Auf jeden Fall entsteht durch die inzestuöse Verwicklung eine emotionale Ausbeutung, eine verlorene Kindheit [vgl. *Amendt*, 1996a, S. 20] und das Erleiden eines Teilverlustes von Elterlichkeit [vgl. *Amendt*, 1996a, S. 21], die von der Mutter und dem Vater beendet werden müßte (Diese sind leider oft wegen ihrer eigenen Not nicht in der Lage, ihre Verantwortung - die Aufrechterhaltung des Inzesttabus - wahrzunehmen).

Wie ebenfalls schon besprochen (siehe 4.1) wirkt sich dies negativ auf das spätere "Einlassen" des Sohnes auf eine heterosexuelle Liebesbeziehung aus, weil er mit seiner Mutter "verheiratet" bleibt; oder anders ausgedrückt, weil es bei ihm zur Partnerin-Mutter-Übertragung kommt, die auf Dauer Nähe unmöglich macht. Da dem Sohn der innerliche väterlich-männliche Halt fehlt, wird er zum einsamen Kämpfer, der sich dauernd überfordert, um Anerkennung zu bekommen. [vgl. auch *Jellouscheck*, 1996a, S. 112/113 und 139-143]. Ebenso kann diese Verwicklung dazu führen, daß der Sohn später als Erwachsener seine sexuellen Regungen voller Scham verdrängt, um die Mutter nicht zu erregen [vgl. *Corneaux*, 1993, S. 139].

Fthenakis [vgl. 1985, Bd. 1, S. 363] weist, obwohl er das Thema sonst explizit nicht aufgreift, auf eine ältere Untersuchung von *Wylie* und *Delgado* (1959) hin. Die fanden heraus, daß vaterlose Jungen - die durch Verhaltensstörungen und Schulschwierigkeiten auffielen - von ihren Müttern ähnlich wie deren Ex-Männer behandelt wurden, die Mütter über diese abfällig sprachen und viele der Jungen sogar mit der Mutter in einem Bett schliefen.

Amendt [vgl. 1996a] nennt dies zu frühe Männlichkeitserwartungen, die an die Söhne gestellt werden [S. 16] und geht aufgrund seiner Studie von 1993 davon aus, daß nicht wenige Mütter (un)bewußt die Generationsgrenzen zum Sohn regelmäßig überschreiten wegen ihrer mangelnden außerfamiliären Anerkennung und ihrer sexuellen Unzufriedenheit mit dem Partner [S. 18]. Die Jungen lassen dies zu, um die Mutter-Liebe nicht zu verlieren [S. 19] und sicherlich später auch, weil sie wissen, daß Männer gesellschaftlich aufgrund ihrer Geschlechtsrolle als starke Macher, Versorger, Beschützer keine Opfer sein "dürfen".

"Im kleinen Prinzen spiegeln sich die unerfüllten Sehnsüchte und Partnerwünsche der Mütter wieder. Der Bub, der seiner Mutter hoffnungslos ausgeliefert ist, kann sich ihren Erwartungen und Anspruchen nicht entziehen. Er muß bei Bedarf seiner 'traurigen Geliebten' beistehen und sich ihr - auch unter Aufgabe und Mißachtung seiner eigenen Bedürfnisse - zuwenden und hingeben. Als junger Held übt er sich, Schwächen zu überwinden und seiner Mutter mit außergewöhnlichen Leistungen zu imponieren. Ihre emotionale Zuwendung wird an seine Erfolge geknüpft." [*Schenk*, 1997, S. 18].

Auch *Amendt* sieht den unter 4.1 schon beschriebenen Haß auf die Mutter, der von den Betroffenen als verspätete Auswirkung auf Frauen verschoben wird; aber vor allem macht er auf eine unendliche Scham sowie auf Unwertigkeitsgefühle, die schon kleinere Jungen quälen, aufmerksam [vgl. 1996a, S. 19/20]. Der Autor beschreibt weiterhin einen Widerspruch innerhalb seiner Studie zwischen den Antworten der Mütter und denen der Söhne in bezug auf Verführung und Scham (85,5% der befragten Mütter konnten sich nicht vorstellen, daß ihr Sohn sich später durch sie verführt fühlte, während 42,9% der Söhne von massiven Beschämungen sprachen) [S. 22].

Amendt [vgl. 1996b, S. 75-90] macht inzestuöse Verwicklungen auch in der Schule durch Lehrerinnen (und Lehrer, was hier nicht untersucht werden soll) aus. Anhand persönlich-emotionaler Reaktionen der Lehrerinnen auf (provozierende) Obszönitäten von Jungen, intimen Aufsatzthemen, Abfangen und Lesen der geheimen Post zweier Jungen im Unterricht und allgemeiner Intimisierung der Unterrichtssituation macht der Autor dies deutlich. *Amendt* geht davon aus, daß eine Mutter-Sohn-Übertragung mit dem Lehrerinnen-Wunsch zur Erziehung von "besseren Männern" somit auch in der Schule mit all ihren Dynamiken stattfindet. Diese Übertragung sollte vermieden werden, ist aber sicherlich nie hundertprozentig zu auszuschließen.

Die allgemeinen Folgen für Jungen sind neben den oben genannten Konflikten; andauernde Überforderung, Loyalitätskonflikte zum Vater, Identifikationsprobleme mit Vater und Männern, Erschwerung der Elternablösung, subjektiv-bedrohlich erscheinende Hilflosigkeit von Dritten, die abgewehrt werden muß und - in bezug auf das Schulbeispiel - eine Minderung des Lernehrgeizes aufgrund unangemessener Beziehungs- und Benotungssicherheit gegenüber der Lehrerin [vgl. auch *Amendt*, 1996b, S. 85/88 und *Schenk*, 1997, S. 18].

Bisher war nur die Rede von weiblichen Verstrickungen und Übergriffen. Ebenso muß natürlich auch von Tätern ausgegangen werden. Die Literatur der letzten 15 Jahre hat dies weitgehend thematisiert, darüber hinaus allerdings oft die weiblichen Übergriffe auf Jungen nicht beachtet oder bewußt negiert.
Blankenhorn [vgl. 1995, S. 39-42] vertritt die These, daß es sich bei den Tätern in den seltensten Fällen um den leiblichen Vater handelt sondern eher um Stiefväter, befreundete Jugendliche, flüchtige Bekannte oder fremde Männer. Dies begründet er damit, daß das Inzest-Tabu bei den Nicht-Vätern aufgrund ihrer Position weniger stark ausgeprägt sei. Dem ist zu ergänzen, daß bei den Tätern der wenig positiv erlebte eigene Vater zum Tragen kommt und so weitergegeben wird an die nächsten Generationen.

Lenz [vgl. 1996, S. 281-291] beschreibt mehrere Formen von Gewalterfahrungen und Übergriffen bei Jungen, welche oft als Mischformen vorkommen:

- emotionale Ausbeutung,

- seelische Mißhandlung,

- körperliche Gewalt,

- Vernachlässigung/Verwahrlosung und

- sexuelle Ausbeutung (Päderastie, Inzest, Kinderpornographie)

Er schätzt den Anteil der Jungen-Opfer bei sexuellen Gewalttaten auf 40%, wenn nicht sogar von 50% ausgegangen werden muß. Es liegen jedoch kaum jungenspezifische Daten hierüber vor.

"Vermutlich wird Jungen von ihren Eltern und der ihrer sozialen Umwelt, im Hinblick auf das Aushalten von körperlich-seelischen Leides, mehr zugemutet als Mädchen" [S. 281].

Dabei besteht im besonderen das Problem, daß Jungen aufgrund der männlichen Geschlechtsrolle nicht das Opfer sein dürfen. Zum großen Teil fehlen männer- und jungenspezifische Hilfsangebote. Gesellschaftliche, juristische, pädagogische, medizinische und therapeutische Ignoranz sorgen zusätzlich dafür, daß Opfer nicht an die Öffentlichkeit gehen oder sich beratende bzw. therapeutische Hilfe holen. Hierdurch entstehen Identitätsprobleme, Verwirrungen über die sexuelle Orientierung, und es steigt wiederum die Gefahr, daß Opfer später zu Tätern werden.

In der Pädophilie-Debatte der Neunziger Jahre wird von der Pro-Seite z.B. vertreten, daß die Kinder den Sex auch wollen, nicht zu bevormunden seien und hier doch eine sensible Einweisung in die Sexualität durch Erwachsene stattfindet [vgl. z.B. *Lautmannn*, 1994].

Diesen egozentrisch-narzistischen Argumenten ist entgegenzuhalten,

- daß sich die kindliche Sexualität massiv von der erwachsenen unterscheidet (sie ist beispielsweise nicht genital),

- daß Kinder immer in ihrer Entwicklung und Versorgung von Erwachsenen abhängig sind und sich somit eine gleichberechtigte Liebesbeziehung ausschließt (Die Kinder können sich nicht mit den Möglichkeiten einer erwachsenen und juristischen Person gegen diesen Mißbrauch des hierarchischen Ungleichgewichts wehren),

- daß es sich hierbei um einen generationsübergreifenden Inzest handelt, Inzest jedoch nicht umsonst kulturübergreifenden Schutz genießt,

- daß die Verantwortung für die Einhaltung des Inzest-Tabus immer bei den Erwachsenen liegt,

- daß solche inzestuösen Übergriffe immer schwerwiegende psychische Folgeschäden bei den Kindern bewirken und

- daß die Pädophil/inn/en scheinbar (pathologisch) nicht in der Lage sind, die eigene Unfähigkeit in bezug auf sexuelle Beziehungen zu annähernd Gleichaltrigen zu sehen.

4.5 "Macho"-Verhalten von Jungen

Wie in Punkt 3.1-3.8 und 4.1-4.4 beschrieben, gibt es eine anhaltende Verunsicherung von Jungen über ihre männliche Identität. Die daraus resultierende Ohnmacht, muß abgewehrt werden und schlägt sich in der Regel in raumeinnehmenden Verhaltensweisen, in Form von Beleidigungen und Obzönitäten, Mädchenabwertung, grenzüberschreitenden Annäherungsversuchen gegenüber Mädchen, Homophobie, Geprotze, Verhaltensauffälligkeiten und anderen Provokationen nieder. Dies bezeichne ich als "Macho"-Verhalten.

Damit sind die Jungen scheinbar wieder das, was sie sein sollen: aktiv, stark, mutig, aggressiv und durchsetzungsfähig. "In einer Zeit, in der die 'richtigen' Jungen hungrig nach jedem Fitzelchen schnappen, das ihnen souveräne Männlichkeit verheißt, müssen die Stillen einiges an Niederlagen und Demütigungen einstecken" [*Schnack/Neutzling*, 1996, S. 64].

109

Das erklärt auch, warum beispielsweise in den männlichen Umkleidekabinen von Sportvereinen die Jugendlichen und (jungen) Männer mit Nähe und Nacktheit keinen selbstsicheren Umgang finden. Um die Unsicherheiten mit der männlichen Identität, die zahlreichen Fragen zur Sexualität und die Homophobie zu überspielen, sind dort meistens Geschichten zu hören, die thematisch von "potenten Schwänzen", "endlos geilen heterosexuellen Ficks" und scheinbar "herumwandelnden weiblichen Geschlechtsteilen" handeln, von denen die wenigsten wahr sein dürften. Die Jungen können durch ihre Sozialisation und unsere Kultur scheinbar ihre Bedürfnisse nach Kontakt, Angenommen-Sein, Liebe, Zärtlichkeit und Sex nicht anders ausdrücken und bauen sich so einen großen unrealistischen Druck auf, ein aktiver und begnadeter Liebhaber zu werden (Eroberungszwang). "Sie retten sich in eine 'Supermännlichkeit', für die ihnen die Gesellschaft entsprechende Vorbilder liefert" [*Schnack/Neutzling*, 1996, S. 76].

Die Frustrationen über die Realität werden dann wiederum mit waghalsigen Mutproben und destruktiver Aggression beantwortet, z.B. S-Bahn-Surfen, Bungee-Jumping, riskante Autoüberhol-Manöver, Schlägereien oder gefährlichen Naturtrips. Dabei spiegelt sich der schlechte Kontakt zum eigenen Körper, die unzureichende Selbstwahrnehmung und eine unrealistische Grandiosität wieder, die zu Folgeschäden bei den Betreffenden und Unbeteiligten führt (siehe auch 3.3.2 und 4.6) [vgl. *Ax*, 1996, S. 16].

Im psychoanalytischen Kontext bedeuten diese Einschränkungen der Jungen in den Reaktionsmöglichkeiten folgendes:
- Eine Möglichkeit, die schon in 3.3.2 beschrieben ist, wäre die Sublimation (Transformation der Energien in kulturschaffende Leistungen). Konkret wären hierfür neben Leistungssport und Body-Building gerade folgende Berufskarrieren gute Beispiele: Soldat, Komiker, Boxer/Karate-Meister, Pornodarsteller, Rennfahrer, Stuntman, Schauspieler, Politiker etc.

- Als nächste Möglichkeit wäre die "Verwandlung ins Gegenteil" eine Alternative: Jungen verwandeln beispielsweise die erlebte Ohnmacht, bzw. Kastrationsangst gegenüber den (weiblichen) Erziehungspersonen in machtbesetzte, omnipotente und "männliche" Kriegsspiele. Ein anderes Beispiel für diese Verwandlung ins Gegenteil wäre eine alberne Reaktion von Kindern auf ein ernsthaftes Konfrontationsgepräch mit Erwachsenen.

- "Identifikation mit dem Aggressor" ist eine weitere Reaktionsmöglichkeit in einer Situation, die nicht "aushaltbar" ist. Hierbei ist ein Nachahmen oder Nachstellen von von Situationen inklusive Rollenwechsel gemeint. Z.B. reagiert ein Kind bei einer massiven Zurechtweisung oder Sanktion von Erwachsenen direkt oder später mit dieser Art der Identifikation.

- Dann gibt es noch die Möglichkeit der "Verleugnung", der "Abspaltung" von unerwünschten Gefühlen, die auf Dauer zu neurotischem oder psychotischem Verhalten führt.

"Macho"-Verhalten von Jungen in der Schule ist insbesondere mit der Schüler-Lehrerin-Dynamik verknüpft; diese wiederum ist ein Abbild des Mutter-Sohn-Verhältnisses. Jungen kämpfen hier vor allem gegen weibliche Autorität und Ohnmachtsgefühle. Gleichzeitig wollen sie sich von der Lehrerin als Mutterideal angenommen fühlen und sind es familiär gewohnt, deren geheime Wünsche zu erahnen und zu erfüllen. Lehrerinnen provozieren und gestalten solche Konflikte im Unterrricht durch ihre Verwicklungen mit "Männlichkeit" und ihre unerfüllten Wünsche gegenüber Männern. Es entstehen subtil-inzestuöse Bindungen und deren Auswirkungen, die von Bewunderung bzw. Förderung des "Macho"-Verhaltens bis zu dessen radikaler Ablehnung und zur Erziehung des "neuen Mannes" reichen. Letzteres trennt die Jungen weiter ab von ihrem geringen Kontakt zum Vater und zu Männern allgemein, was wiederum die Herausbildung der männlichen Identität erschwert [vgl. 3.3.1, 4.1, 4.4 und *Amendt*, 1996b, S. 75-90].

4.6 Destruktive Lebensweise von Jungen und Männern

Meines Erachtens liegt ein direkter Bezug zwischen vaterloser Kultur, mangelnder männlicher Identität und destruktiver Lebensweise von Jungen und Männern vor. Es besteht für einen Jungen, der einen qualitativ guten Kontakt zu beiden Elternteilen hat und sich angenommen fühlt, kaum einen Grund, eine destruktive Lebensweise zu entwickeln.

Durch den (tendenziell) fehlenden Vater verstärkt sich die außerfamiliäre Sozialisation. Das hat eine große Wirkung, denn diese ist für Jungen bzw. Männer stark von Härte, "Durchhalten" und grandiosen Höchstleistungen geprägt.

"Zusammenfassend kann man sagen: Wenn es um den Körper geht, gilt es als männlich:
- möglichst wenig Schlaf zu brauchen;
- möglichst viel Schmerzen auszuhalten;
- möglichst viel Alkohol zu vertragen;
- sich möglichst wenig darum zu kümmern, was man ißt;
- möglichst selten jemanden um Hilfe zu bitten oder sich auf jemanden zu verlassen;
- seine Gefühle möglichst immer unter Kontrolle zu haben." [*Goldberg*, 1987, S. 42]

So faßte *Herb Goldberg* den gesundheitlichen Bereich von Männern erstmals Ende der siebziger Jahre erschreckend zusammen.

Daß dies eine geringere Lebenserwartung nach sich zieht, überrascht nicht. In den Jahren 1871-1989 hat sich die geringere Lebenserwartung von Männern gegenüber Frauen von knapp 3 auf 6,5 Jahre erhöht [vgl. *Bretz/Niemeyer*, 1992, S. 76], während interessant ist, daß sich gerade der Abstand zwischen 1950 und 1984 von 3,9 auf 6,6 Jahre ausdehnt hat [vgl. *Höhn*, 1989, S. 205]. Diese Veränderung in Deutschland fällt in die Hochzeit der geschlechtsspezifischen Arbeitsteilung. Die Gründe für den Anstieg in der Nichtverarbeitung des Nationalsozialismus und im Wiederaufbau das Landes zu suchen, scheint nicht sinnvoll, da in europäischen Ländern wie Schweden, Polen, Frankreich, Italien, Spanien oder anderen diese Kluft ebenfalls besteht (Hier liegt die Lebenserwartung von Männern zwischen 5 und 10 Jahren unter der der Frauen).

In der Ausschließlichkeit der Berufsarbeit für Männer sind demnach die Hauptursachen für ihre geringere Lebenserwartung zu suchen.

Ende der Neunziger verringert sich der Abstand wieder um ein Dreivierteljahr. Dies ist aber nicht nur auf eine gering verbesserte Gesundheitsförderung der Männer zurückzuführen sondern gerade darauf, daß Frauen durch die vermehrte Berufstätigkeit ebenfalls einen ungesünderen Lebensstil annehmen [*Die Woche/Garms*, 1998, S. 1].

Die Woche/Garms [vgl. 1998, S. 1] macht den paradoxen, typisch-männlichen Umgang mit dem eigenen Körper daran deutlich, daß das Auto schnell zur Reperatur gebracht wird, wenn der kleinste Schaden vorhanden ist, während das eigene körperliche Leiden ignoriert wird.

Die männliche Sozialisation und die einseitige Ausrichtung auf die Berufsarbeit beinhalten anteilig Selbstzerstörung (siehe auch 3.3.2 und 3.7). Der Erfolgszwang und die Gefühlsverbote aufgrund der Ernährerrolle sind fast stärker als der Überlebensinstinkt. Krank-Sein wird zum Verbot, "vernünftig" und mechanisch geht Mann seinen Weg - "Durchhalten" wird zur Parole. So werden alle Warnzeichen des Körpers ignoriert, und nicht selten sterben (ältere) Männer "plötzlich". Alles, was nach Erholung klingt, wird als weiblich abgewertet: Schlafen, Heilen, Passivität, sich Pausen nehmen, etc. [vgl. auch *Goldberg*, 1987, S. 13-44]. "Deshalb ist es nicht ungewöhnlich, daß Männer mittleren Alters häufig arbeitssüchtig sind, Alkoholiker, Hyperaktive, zuviel essen und sich keine Ruhe gönnen" [*Goldberg*, 1987, S. 35].

Auch bei den Rauch- und Trinkgewohnheiten sowie bei der Inanspruchnahme von Krebsvorsorge können Männer schlechter für sich sorgen als Frauen [vgl. *Goldschmidt*, 1996, S. 68/69].

Nach *Farrell* hängt der schlechte männliche Gesundheitszustand vor allem mit der Beschützerrolle der Männer zusammen. Sie achten mehr auf andere als auf sich. Männer erfahren hierfür wenig Anerkennung - im Gegenteil: Die Kritik von Frauen ist in den letzten Jahrzehnten gewachsen. Außerdem wehren sich Männer aufgrund ihrer Geschlechterrolle und -sozialisation nicht gegen solche Rollenzuschreibung, einseitige Berufsausrichtung (oder gegen Kritik von Frauen); sie spüren die Gefahr kaum, sind fast blind für sie geworden: "Todesberufe gelten als Privileg, wenn Männer sie ausüben, und als Unterdrückung, wenn Frauen sie ausüben" [*Farrell*, 1995, S. 143].

Die Woche/Thorbrietz [vgl. 1998, S. 26] spricht nach *Hurrelmann/Eickenberg* von "Karriere, Konkurrenz, Kollaps" als die drei K's des männlichen Lebenswegs, in denen Gesundheitsvorsorge keinen Platz findet. Auch die fehlenden sozialen Netze der Männer sorgen für spätere Herzinfarktanfälligkeit [vgl. auch *Farrell*, 1995, S. 224].

Dieser Raubbau am Körper und die geringere Lebenserwartung scheint der Preis für das Mann-Sein, die Berufskarriere, die Machtposition im öffentlichen Bereich und für die Chancen der Individualisierung sowie den Wohlstand im kapitalistisch-marktwirtschaftlichen System zu sein.

Den Anfang im Leben eines Mannes nimmt diese Entwicklung schon sehr früh. *Schnack/Neutzling* [vgl. 1994, S. 102-109 und 142/143] trugen Ende der Achtziger die aktuellen geschlechtsspezifischen Statistiken aus Deutschland zusammen, die sich bis heute wenig verändert haben. Sie kamen zu dem Ergebnis, daß es bei vielen Krankheiten einen (starken) Überhang auf Seiten der Jungen gegenüber den Mädchen gibt:
- Fehlbildungen und Erkrankungen der Geschlechtsorgane (16 : 1)
- Diabetes (2,5 : 1)
- Erkrankung der Nieren- und Harnwege (1,8 : 1)
- Intellektuelle Minderentwicklung (1,7 : 1)
- Störungen der emotionalen und sozialen Entwicklung (1,6 : 1)
- Blutkrankheiten (1,6 : 1)
- Fehlbildungen des zenralen Nervensystems (1,5 : 1)
- Erkrankung der Atmungsorgane (1,5 : 1)

- Hörbehinderungen (1,3 : 1)

- Erkrankung der Verdauungsorgane (1,3 : 1)

Weiterhin ist die Sterblichkeitsrate von Jungen/Männern gegenüber der von Mädchen/Frauen im Alter von 15-30 Jahren 2,5 bis 3mal so hoch. Bei den Todesursachen der 0-15 Jahre alten Jungen fallen besonders

- Suizid   (3,3 : 1 im Verhältnis zu Mädchen)

  [vgl. auch *Farrell*, 1995, S. 199],

- Unfälle durch Sturz   (2,2 : 1 im Verhältnis zu Mädchen),

- Ertrinken   (1,9 : 1 im Verhältnis zu Mädchen)

- und Krebs   (1,7 : 1 im Verhältnis zu Mädchen) auf.

Bei den psychischen und psychosomatischen Störungen sind die jungenspezifischen Auffälligkeiten eher bei:

- dem hyperaktiven Syndrom   (8 : 1 im Verhältnis zu Mädchen),

- dem chronischen Magengeschwür   (6 : 1 im Verhältnis zu Mädchen),

- den Zwangsvorstellungen   (4 : 1 im Verhältnis zu Mädchen),

- dem Stottern   (4 : 1 im Verhältnis zu Mädchen),

- dem Einkoten   (3,5 : 1 im Verhältnis zu Mädchen)

- und dem Bettnässen   (2 : 1 im Verhältnis zu Mädchen).

An allen Sonderschulen liegt der Jungenanteil bei durchschnittlich 60%. Der Jungenanteil bei den Sitzengebliebenen beträgt ca. 58%.

Bei der Kriminalstatistik wird der Unterschied noch gravierender:

- Die Anzahl der registrierten Straftaten von Kindern ist bei Jungen 5,3mal so hoch wie bei Mädchen.

- Die Anzahl der registrierten Straftaten von Heranwachsenden ist bei Jungen 7,1mal so hoch wie bei Mädchen.

- Die Anzahl der inhaftierten Jugendlichen ist bei Jungen 30mal so hoch wie bei Mädchen.

- Die Anzahl der inhaftierten Heranwachsenden ist bei Jungen 55mal so hoch wie bei Mädchen.

Bei den jugendlichen Delikten der Jungen im Verhältnis zu den Mädchen kommt es zu folgenden Zahlen:

- Diebstahl   60,0 : 1
- Raub   57,0 : 1
- Körperverletzung   12,0 : 1
- Totschlag   6,0 : 1
- Mord   2,3 : 1

Hierzu muß bedacht werden, daß die Art von Kriminalität der Mädchen anders als die der Jungen ist. Sie findet eher im sozialen Nahraum statt und bleibt so verborgen; es sind sogenannt kleinere Delikte wie Diebstahl und Betrug oder aber auch Prostitution [vgl. *Ziehlke*, 1992, S. 36].

Als zweite Ergänzung zur Kriminalstatistik liegt die Vermutung nahe, daß Frauen bzw. Mädchen vor dem Gesetz bevorzugt behandelt werden [vgl. *Farrell*, 1995, S. 285-338]. *Farrell* macht dies für die USA an zahlreichen Beispielen deutlich:

- um 12,6 Jahre ist das Strafmaß für Männer bei gerichtlichen Urteilen wegen Totschlags höher,
- fast ausschließlich werden Todesurteile gegen Männer verhängt,
- die Anzahl der Bewährungsstrafen sind für Frauen wesentlich höher als für Männer,
- die Kautionen für Frauen sind deutlich niedriger,
- es gibt mehr Privilegien für Frauen im Gefängnis,
- insgesamt ist die Strafverfolgung für Frauen weniger rigide, usw.

Dies alles geschieht aufgrund der weiblichen Geschlechtsrrollen-Stereotypen und der gesellschaftlichen und letztendlich richterlichen Vorstellung von der Frau als lebensspendenden Mutter, die angeblich nicht destruktiv handeln kann.

Im Erwachsenenalter zeigt sich ebenso dasselbe statistische Bild. Die Todesraten in den USA aufgeschlüsselt nach den Haupttodesursachen im Verhältnis von Männern zu Frauen läßt die Männern auf jeder Ebene "trauriger Sieger" sein:

1. Herzkrankheit   1,9 : 1
2. Krebs   1,5 : 1
3. Hirnschlag   1,2 : 1
4. Unfälle und andere Außeneinwirkungen   2,7 : 1
5. Lungenkrankheiten   2,0 : 1
6. Lungenentzündung und Grippe   1,8 : 1
7. Diabetes   1,1 : 1
8. Suizid   3,9 : 1
9. Chronische Leberkrankheit und Zirrhose   2,3 : 1
10. Arterienverkalkung   1,3 : 1
11. Nierenentzündung   1,5 : 1
12. Mord   2,0 : 1
13. Blutvergiftung   1,4 : 1
14. Tod vor, während oder kurz nach der Geburt   1,3 : 1
    (Kindersterblichkeitsrate)
15. Aids   9,1 : 1

[*Farrell*, 1995, S. 219]

Im Abgleich mit den deutschen Daten [vgl. *Goldschmidt*, 1996, S. 63] ergeben sich als häufigste Todesursachen:

1. Krankheiten des Kreislaufsystems (am häufigsten Konorar- oder Herzinfarkt)

2. Bösartige Neubildungen (Krebs)

3. Krankheiten der Atmungsorgane

4. Verletzungen und Vergiftungen

Beim Herzinfarkt liegen z.B. die westdeutschen Daten mit

5,0 : 1 (15-25 Jährige),

4,6 : 1 (25-45 Jährige),

4,3 : 1 (45-65 Jährige) und

2,7 : 1 (65-75 Jährige)

deutlich über den US-amerikanischen [vgl. *Goldschmidt*, 1996, S. 64].

Für das Sterben an Krebs ergeben sich folgende Unterschiede zu den USA: 3,7mal (im Gegensatz zu 1,5mal) höher ist das Sterberisiko für Männern gegenüber den Frauen aus dem früheren Bundesgebiet [vgl. *Goldschmidt*, 1996, S. 64/65].

Bei den Verkehrsunfällen bestätigen sich die Zahlen aus den USA. 2,7mal so hoch ist die männliche Sterberate gegenüber den Frauen aus Westdeutschland (Bei häuslichen Unfällen ist hingegen die Rate 2,2mal höher für Frauen). Nach dem Alter ausdiffenrenziert, stellen sich die Zahlen wesentlich krasser dar:

für 15-25jährige Männer 4,1 : 1

für 25-35jährige Männer 6,0 : 1

für 35-45jährige Männer 5,0 : 1

[vgl. *Goldschmidt*, 1996, S. 66].

Bei den Suiziden sind die Zahlen nicht ganz so dramatisch wie in den USA (3,9 : 1):

- 3,6 : 1 im Verhältnis zu Frauen ist die Sterberate bei den unter 25jährigen Männern.

- 2,9 : 1 im Verhältnis zu Frauen ist die Sterberate bei den 25-60jährigen Männern.

- 2,3 : 1 im Verhältnis zu Frauen ist die Sterberate bei den 60-75jährigen Männern.

- 3,5 : 1 im Verhältnis zu Frauen ist die Sterberate bei den über 75jährigen Männern.

[vgl. *Goldschmidt*, 1996, S. 66]

Entgegen der Alltagstheorie, daß Mann immer die bessere (höher bezahlte) Arbeitsstelle und die bessere Aufstiegschance hat, fand *Farrell* [vgl. 1995, S. 129] - wieder für die USA geltend - heraus, daß von den 25 schlechtesten Arbeitsstellen 24 fast reine Männer-Arbeitsstellen sind:

Lastwagenfahrer,

Metallarbeiter,

Dachdecker,

Kesselschmied,

Holzarbeiter,

Schreiner,

Bauarbeiter,

Polier,

Baumaschinenfahrer,

Footballspieler,

Schweißer,

Mühlen- oder Hüttenarbeiter.

Kriterien für die Einstufung waren Bezahlung, Streß, Arbeitsumfeld, Aufstiegschancen, Gefahren am Arbeitsplatz und körperliche Beanspruchung. Wenn das einzige Kriterium Bezahlung ist, dann sind die schlechtbezahltesten Arbeiten meist mit Frauen besetzt (Diese Arbeiten sind in der Regel gefahrlos).

Gerade die gefährlichen Tätigkeiten werden von Männern ausgeführt und selten in Frage gestellt:

Feuerwehr	99% Männer
Holzfällen	98% Männer
Schwertransporte	98% Männer
Baugewerbe	98% Männer
Kohlebergbau	97% Männer

Frauen arbeiten hingegen an sicheren Arbeitsstellen: Sekretär/in 99% Frauen

Rezeption 97% Frauen

[*Farrell*, 1995, S. 130].

Im Zusammenhang damit verweist *Farrell* auf einen interessanten Punkt: Wenn Frauen durch Gesetze übermäßig behütet werden, stellt dies eine Diskriminierung dar, denn es steigt die Arbeitgeber/innen-Angst aufgrund der Arbeitsschutzgesetze (z.B. zur sexuellen Belästigung) Frauen einzustellen [vgl. 1995, S. 148].

Farrell [vgl. 1995, S. 154-159 u. 227-235] macht insgesamt einen deutlichen Sexismus gegen Männer aus, weil sie in der medizinischen Forschung vernachlässigt werden (z.B. Hoden- und Prostatakrebsforschung, posttraumatisches Streßsyndrom, etc.) und nur sie für Kriege und Landesverteidigung eingesetzt werden.

Ich gehe davon aus, daß sich diese US-amerikanischen Daten von *Farrell* im Groben auf andere westliche Industriestaaten wie Deutschland übertragen lassen.

Im Kriegsfall hat die körperliche Desensibilisierung der Männer während der Sozialisation einen großen Nutzen für die amtierende Regierung, denn sonst würde sich kaum einer in ein Gefecht schicken lassen. Männer verteidigen den Raum (das Land oder die Wohnung), in dem Frauen und Familie sich entfalten können. Das ist ein

Teil des bestehenden Geschlechterverhältnisses bzw. -arrangements. Dabei gibt es für beide Geschlechter jede Menge Nachteile. Frauen bleibt in der Regel Macht in der Öffentlichkeit und im Beruf verwehrt, und Männer werden im Krieg und während der Berufsarbeit geopfert, um hier nur einige der Nachteile zu nennen bzw. zu wiederholen.

4.7 Gegengeschlechtliche Idealisierung und Abwertung

Auch werde ich einen Zusammenhang von gegengeschlechtlicher Idealisierung und Abwertung zur vaterlosen Kultur deutlich machen. Ein gutes und extremes literarisches Beispiel für den Einstieg ins Thema stellt das Theaterstück "Wer hat Angst vor Virginia Woolf...?" von *Edward Albee* aus dem Jahre 1963 dar. Innerhalb dieses Geschlechterkampfes versucht die Hauptakteurin Martha, ihren Mann als "unmännlichen Versager" zu demütigen und er, George, versucht sie als "saufende Nutte" zu diffamieren. Interessamt ist, daß das Stück mit Provokationen ihrerseits beginnt [vgl. *Albee*, 1990, S. 7-12] und sie es auch ist, die meistens wieder nachsetzt, bevor er sich auf gleicher Ebene wehrt. Es taucht hierbei ein Motiv auf, welches ich schon an anderer Stelle behandelt habe (siehe 3.3.1, bzw. vgl. *Jellouscheck*, 1996b, S. 100): George setzt ihr wegen seiner Partnerin-Mutter-Übertragung bzw. wegen seiner diesbezüglichen alten Angst vor der mächtigen Mutter keine "Grenze" und läßt sich lange demütigen.

4.7.1 Männeridealisierung/Männerabwertung

Der "Geschlechterkrieg" der beiden Hauptfiguren in dem oben genannten Theaterstück [*Albee*, 1990] ist überschattet von der ungelösten und aufgeladenen Beziehung von Martha zu ihrem Vater. Ihre Vateridealisierung zeigt sich gegenüber ihrem Mann als Vaterhaß. Dies heißt, daß Martha ihre Enttäuschung, Wut und Kritik bezüglich ihres Vater auf ihren Mann projiziert, sich stellvertretend abarbeitet, ohne das Problem zu lösen. Diese Auseinandersetzung muß andauern, weil sie nicht an ihrem Ursprungsort geführt wird oder anders gesagt, weil die Konfliktursachen unreflektiert sind und somit bestehen bleiben. So kommt es, daß Martha immer wieder neue Erniedrigungen gegen George inszeniert. Den Karriere-Lebensweg sowie die mangelnde Anwesenheit ihres Vaters kann sie nicht in Frage stellen, deshalb müssen alle Abweichungen von dieser Norm - und natürlich gerade die Abweichungen ihres Mannes - abgewertet werden [vgl. S. 9, 20, 38, 42, 54, 55]. Darüber hinaus nimmt sie dies auch zum Anlaß, ihm Männlichkeit abzusprechen [vgl. S. 12, 33, 34, 37/38, 39, 40, 49, 76, 94, 101, 103, 133] und letztendlich alle Männer zu diffamieren [vgl. S. 33, 112-114].

Weitere Beispiele der Idealisierung von Männern sind die Actionhelden aus Film und Fernsehen (als Fortsetzung des Western-Helden). Sie sind immer stark, kräftig und durchsetzungsfähig, allein und gerecht; weder weinen sie, noch spüren sie Ohnmacht oder schlafen viel. Nebenbei wird der Held zum Sieger (gegen wen oder was auch immer) und erobert die schöne Frau. So ein Bild kann sich trotz gesellschaftlicher Veränderungen nur halten, wenn die Sehnsucht nach dem omnipotenten Superhelden gleichbleibend oder größer geworden ist. Letzteres scheint der Fall zu sein, denn im Geschlechterverhältnis hat es in den letzten 30 Jahren einige Angleichungen und Veränderungen durch die staatliche (Bevölkerungs-)Politik und die neue Frauenbewegung gegeben. Und gerade in einer Zeit, wo die Schwäche der Männer durch die vaterlose Kultur immer weiter zunimmt, gewinnt der Superheld für Männer und Frauen an Faszination.

Innerhalb der Männer-Literatur gab es auch Anfang der neunziger Jahre eine männeridealisierende (und antifeministische) Strömung. Neben *Felix Stern* [1991] tat sich vor allem *Joachim H. Bürger* als Autor hervor [1990, 1991, 1992]. Dazu zählen auch teilweise *Farrell* [1995], *Matussek* [Spiegel 47/97 und 1998] sowie verschiedene Väterrechtler-Organisationen. Genaueres hierzu ist unter 4.7.2 beschrieben [vgl. auch *Ax*, 2000, S. 13/14].

Die Kette der Männerabwertung ist lang, gerade auch durch die feministische Literatur. Mit oftmals einfachen Täter-Opfer-Schemata, in denen Frauen keine Verantwortlichkeit haben, erscheinen Männer bei *Martha Shelly, Dana Densmore, Phyllis Chesler, Kate Millett* oder *Marilyn French* als Unterdrücker, (potentielle) Vergewaltiger, Machos und als "Schuldige für alles Übel der Welt" [vgl. *Goldberg*, 1987, S. 135-145].

"Bestenfalls ist das Bild der unterdrückten Frau als Opfer des Mannes unausgewogen, unfair und psychologisch unrichtig. Im schlimmsten Falle behindert oder zerstört es die Möglichkeiten für eine echte Mann-Frau-Beziehung" [*Goldberg*, 1987, S. 137/138].

Andere bekanntere Beispiele für Männerabwertung tauchen bei *Andrea Dworkin* [1979], *Luise F. Pusch* [1990], *Cheryl Bernard/Edit Schlaffer* [1991], *Maria Mies* [1992] oder *Ingrid Strobl* [1993] auf. Dazu sollen zwei Beispiele reichen:

"Ihre (die der Männer - d. Verf.) einseitige, voreingenommene und egoistische Auffassung von Sexualität gilt allgemein als die Sexualität schlechthin" [*Pusch*, 1990, S. 127].

"Der Mann strebt nicht nach der faktischen Vernichtung des weiblichen Geschlechts, er hat nicht vor, die Geschlechterdifferenz zu liquidieren. Er trachtet im Gegenteil danach, die soziale Ausbeutung der biologischen Divergenz zu verlängern, zu verstärken, sie sich nutzbar zu machen, nicht nur im Ökonomischen, sondern auch im Privaten. Nur der lebendigen und in ihrer Geschlechterrolle funktionierenden Frau kann der Mann sein Herz ausschütten. Nur sie kann ihm die Illusion gewähren, ein Versorger und Beschützer und überdies ein Held zu sein. Nur im Stupor der lebendigen von ihm vergewaltigten Frau kann er seine Macht erleben, indem er sie in sexuelle Lust transportiert" [*Strobl*, 1993, S. 18].

Diese abwertenden Zitate voller Vorwürfe bezüglich Dominanz, Assozialität und systematischer physischer Gewalt spiegeln gleichzeitig eine unglaubliche Idealisierung der Autorinnen von Männern wieder, denn die Männer erscheinen als omnipotente, normsetzende, in allen Belangen überlegene Herrscher.

Bly [vgl. 1993, S. 142] und *Scharwiess* [vgl. 1995, S. 147] sehen in dieser Abwertung des Männlichen vor allem die verschobene Wut der Frauen auf die eigenen vermißten Väter.

Wie schon unter 3.8 beschrieben, reagier(t)en viele Männer mit Anpassung, was gerade an der Männerbewegungsliteratur der siebziger und achtziger Jahre zu erkennen ist. Ein extremes Beispiel ist hierfür sicherlich *Wilfried Wieck* [1990, S. 196/197]:

"Es besteht für mich kein ernsthafter Zweifel daran, daß die unbelehrbar patriarchalischen Männer auch heute noch die überwältigende Mehrheit in unserem Land bilden. Sie zitieren augenblicklich nicht Hitler oder Nietzsche, aber sie fühlen wie diese".

Wieviel Traurigkeit in bezug auf den eigenen Vater wird hier verdrängt, wie wenig männliche Identität muß ein Mann haben, daß er solche undiffenzierten und männerfeindlichen Zeilen schreibt?

Ein abschließendes Beispiel für die Akzeptanz und Etablierung von Männerabwertung ist, daß ein Song der Musikgruppe *Die Ärzte*, "Männer sind Schweine", der zum Hit im Sommer 1998 wurde. Natürlich handelt es sich hierbei um einen ironisierten Hintergrund, doch stehen die klischeehaften und diffamierenden Strophen erstmal für sich und entfalten ihre Wirkung.

4.7.2 Frauenidealisierung/Frauenabwertung

Kein Zufall ist, daß George in dem schon erwähnten Theaterstück [*Albee*, 1990] Martha als "mannstolle Alkoholikerin" darstellt. Wie schon Martha umgekehrt George an der empfindlichsten Stelle als Mann trifft - nämlich beim angeblichen Versagen innerhalb der Geschlechterrolle - so versucht George auch, den wundesten Punkt bei ihr als Frau zu treffen. Und dieser ist gesellschaftlich für die Frau, daß sie eben nicht maßvoll, devot, versorgend und monogam ist, sondern eine "Schlampe", die trinkt und "rumhurt" [vgl. S. 8, 14, 16, 17, 18, 24, 34, 40, 56, 103-104, 128]. Weiterhin deutet seine Art der Diffamierung auf seine Beziehung zur Mutter hin, die im Theaterstück leider nicht thematisiert wird. Zu vermuten ist, das Georg ähnlich aufwuchs wie unter 3.3.1 beschrieben, nämlich mit zu enger Mutter-Bindung und (tendenzieller) Vaterlosigkeit. Auf der einen Seite war es für ihn als Junge schwierig, sich von der Mutter zu befreien, und auf der anderen Seite wollte er sie ganz haben (Ödipus-Komplex), was ihm aber nicht gelang. Wegen letzterem entstehen z.B. die Huren-Vorwürfe gegen Martha (Erinnert sei hier an die männliche Ambivalenz zu Frauen, an die Aufspaltung des Frauenbildes in Heilige und Hure; siehe auch 4.1). Ebenso werden die ständigen Erwartungen von Martha bezüglich seiner Karriere und seines Mann-Seins ihn an seine Mutter und deren ähnlichen Erwartungen an ihn er-innern. Ein ambivalentes (frauenverachtendes - frauenidealisierendes), emotionales und unreflektiertes Verhalten von George ist also vorprogrammiert.

Immer wieder sind frauenabwertende Äußerungen bei *Bürger* zu lesen, der Männern eine Stimme gegen den Feminismus geben wollte:

"(...) und nutzen die ihnen (den Frauen - der Verfasser) eigenen Möglichkeiten der besseren sexuellen Selbstkontrolle strategisch brilliant aus, um den Mann beizeiten zum Abhängigen zu machen" [1991, S. 21].

"Da Frauen leider zur Unlogik neigen, werden sie zunächst nicht eine Sekunde auf die Idee kommen, den Fehler für die marode zwischenmenschliche Situation bei sich zu suchen. O nein. Aufgehetzt von ihren Oberschwestern, sehen sie die Ursache für das Böse auf der Welt beim Mann" [1991, S. 191].

Matussek [Der Spiegel, 47/1997] wird während der Vaterrechtsdebatte noch deutli-cher. Er wirft den Frauen vor, die Väter ihrer Kinder mit Hilfe der Frauenberatungs-stellen zu "entsorgen" und die Kinder zu Spekulationsobjekten zu machen. Wegen der ungerechten Rechtslage und den oft erfundenen Mißbrauchsvorwürfen bekom-men die Väter in der Regel nicht das Sorgerecht und verkommen zu Alimenta-tions-Vätern. "Die schrille Mißbrauchsfolklore, die heute Prozeßroutine geworden ist, bietet nicht nur skrupelosen Abzockerinnen eine sozial akzeptable Maskerade zum Ausstieg, sie entwickelt ihren Sog auch auf schlicht irritierte, hilfesuchende, versöhnungssuchende Frauen. Statt Konfliktberatung und Partnertherapie anzusteuern, die in anderen Ländern obligatorisch ist, fühlen sie sich aufgefordert, den Scheidungsknüppel zur Selbstversorgung zu schwingen(...)" [S. 102].

Ein weiteres Beispiel für Frauenabwertung ist der *"Rundbrief für Gleichberechtigung und Menschlichkeit"*, der 1993-1996 in Hamburg von einigen Väterrechtler herausgegeben wurde.

Bei *Farrell* [1995], der um Auseinandersetzung mit dem Feminismus bemüht ist, tauchen öfter Zeilen auf, die auf eine Idealisierung von Frauen hindeuten. Und wo die Idealisierung vorkommt, ist auch die Abwertung nicht weit:

"Schließlich besitzen Frauen in vielen Bereichen die größere Macht: Sie haben mehr Geld zur Verfügung, sie haben die Macht ihrer Schönheit und ihrer Sexualität, und sie haben mehr Wahlmöglichkeiten in bezug auf Ehe, Kinder, Arbeit und Lebensgestaltung" [S. 427].

Auf das eigene idealisierte Bild von Weiblichkeit und Mütterlichkeit stießen die Autoren *Schnack/Neutzling* [vgl. 1994, S. 86-88] bei ihrer "Negativ-Liste der Mütter", die sie für ihr Buch "Kleine Helden in Not" erstellten. Sie beschreiben die eigene Angst vor der "mächtigen Mutter", nachdem sie problemlos eine "Negativ-Liste der Väter" erstellt hatten.

Die unter 4.7.1 beschrieben Autor/inn/en, die in ihren Veröffentlichungen Männer abwerten, werten auf der anderen Seite Frauen zu besseren Menschen auf:

"(...) daß - wie die US-amerikanische Psychologin *Carol Gilligan* herausgefunden hat - Frauen ethische Probleme anders angehen als Männer. Sie verlassen sich 'nicht auf die männliche Gerechtigkeitsmathematik (...) wenn sie vor moralischen Konflikten stehen. Anstatt Rechtsansprüche gegeneinander abzuwägen, wollen sie vor allem vermeiden, andere zu verletzen oder Bindungen zu zerstören'" [*Pusch*, 1990, S. 125].

4.8 Mangelnder oder fehlender Kindeswunsch von Männern

Als letzte Auswirkung sehe ich noch den mangelnden bzw. fehlenden Kindeswunsch bei Männern.

Viele Schwangerschaften entstehen, weil Frauen es wünschen - ihre Männer stimmen schließlich mehr oder weniger zu, um sie eventuell nicht zu verlieren - oder aus "Unachtsamkeit" in bezug auf praktizierte oder eben nicht praktizierte Verhütung (Die Gründe für letztere "Unachtsamkeit" wären noch gesondert zu untersuchen). Von Männern geht in der Regel innerhalb der Partnerschaft seltener ein bewußter Kindeswunsch aus.

Dies kann dadurch bedingt sein, daß eine gewisse Abhängigkeit von der Partnerin als Austragende besteht und der Mann sie nicht unter Druck setzen will. Auch hängt es sicherlich damit zusammen, daß die Notwendigkeit, ein Kind oder mehrere für die ökonomische Sicherstellung des eigenen Lebensabends oder der der ganzen Familie zu haben, entfällt (ganz im Gegensatz zur früheren Geschichte, wo die Kinder den Eltern das Überleben im Alter sicherten).

Doch scheint mir der Hauptgrund für den mangelnden Kindeswunsch ebenfalls innerhalb der vaterlosen Kultur zu liegen. Wenn für Männer "das Band", die Verbindung zum eigenen Vater sehr dünn war und ist, so ist es sehr wahrscheinlich, daß eigene Vaterschaft weniger in den Sinn kommt, sie als unwichtig erachtet wird und selten unbedingt gewollt wird. Vielleicht darf dieser Wunsch Männern nicht so bewußt in den Sinn kommen, weil es den Schmerz über den eigenen vermissten Vater wieder auslösen könnte.

Da scheint es bequemer, der Partnerin den Kindeswunsch zu erfüllen, sich so nur indirekt für Vaterschaft zu entscheiden und diese mit nur mangelndem Bezug zu leben (Hierbei handelt es sich um ein weiteres Modell, wie vaterlose Kultur an die nächste Generationen weitergegeben wird).

Für viele Männer ist es scheinbar leicht, bewußt oder unbewußt, die Möglichkeit der Vaterschaft aufzuschieben oder sich gänzlich dagegen zu entscheiden.

5. Schlußbemerkungen und Auswege

Ich habe im Verlauf der Arbeit aufgezeigt, wie die vaterlose Kultur entstanden ist, warum sie fortbesteht und welche fatalen Auswirkungen sie hat. Gleichzeitig habe ich durch die Auflistung der Gründe für die vaterlose Kultur (3.1 - 3.8) parallel Auswege aus der Situation aufgezeigt. Diese werde ich im folgenden zusammenfassen und ergänzen.

1) Die aktive Vaterschaft zu leben - sich als Vorbild, Identifikationsfigur und Mutter-Ablöser anzubieten - wird hierbei zum Grundpfeiler einer anderen Entwicklung (Dies muß teilweise wegen der Vaterlosigkeit durch die Weltkriege und die entstandene geschlechtsspezifische Arbeitsteilung wiederentdeckt bzw. neu erschaffen werden).

Dabei ist es meines Erachtens unverständlich und geradezu "tragisch", daß die wissenschaftlichen Erkenntnisse über die negativen Folgen von Vaterabwesenheit der sechziger und siebziger Jahre aus den USA (siehe 4.2) sich nicht gesellschaftlich durchsetzten bzw. keine große Veränderung einläuten konnten.

2) Die gleichmäßige (50%:50%) Arbeitsaufteilung von Erwerbs-, Haus- und Erziehungsarbeit ist eine Grundvoraussetzung für aktive Vaterschaft, für die Aufweichung der Geschlechterrollen-Stereotype und für die Partizipation an den gegengeschlechtlichen Machtsphären. Hierbei ist politischer Druck vonnöten, da z.B. die Arbeitgeber/innen in den letzten 30 Jahren halbe Stellen weitgehend verhindert haben.

3) Gesamtgesellschaftlich sind die Menschen und der Staat aufgefordert, eine effektivere Streit- und Beratungskultur zu schaffen, die den zahlreichen Trennungen der Eltern Alternativen aufzeigen könnten.

4) Das Kindschaftsrecht (bzw. Sorgerecht) müßte so verändert werden, daß eine Benachteiligung von Vätern aufgehoben wird.

5) Die Reproduktionsmedizin muß - wenn nicht als künstliche Fortpfanzungsform abgelehnt - zumindest begrenzt bleiben, um nicht geplante Mutter- oder Vaterlosigkeit zur Norm zu machen und so massiv die bestehenden Probleme zu verstärken.

6) So wie Frauen es für sich ermöglicht haben, ihr zu enges Geschlechterrollenkorsett in den letzten 30 Jahren zu erweitern, sind auch Männer weiter gefordert, sich gegen gesellschaftliche Normen, andere konservative Männer und Frauen durchzusetzen und ihre Gefühls- und Handlungsspielräume zu erweitern. Dafür gibt es, obwohl dieser Prozeß schon länger läuft, anfangs wenig Anerkennung von außen (Dies hat sich in den Jahren der neuen Frauenbewegung für Frauen auch immer wieder gezeigt). Mittelfristig wird sich jedoch die Lebensqualität und Außenakzeptanz für Männer erhöhen.

7) Neben geschlechtsspezifischen Bildungsangeboten und Selbsterfahrungsmöglichkeiten bieten gerade bei hohem Leidensdruck auch Beratungsangebote oder Psychotherapie Entlastungsmöglichkeiten und Auswege. Leider sind bisher für Männer aufgrund ihrer Sozialisation zum immer-starken Ernährer, Beschützer und Macher solche Angebote oft zu hochschwellig.

8) Neben der Männerbewegung und Männerarbeit, ist auch die begonnene Jungenarbeit der letzten 10-12 Jahre fortzuführen. Um der vaterlosen Kultur entgegenzuwirken, muß der Erziehungssektor als Arbeitsplatz für Männer die Regel werden. Eine Normalisierung wird sich danach natürlich nicht umgehend einstellen - im Gegenteil: Die Jungenarbeiter bekommen erst den gesammelten Frust über die fehlenden Väter zu spüren, bevor ein Austausch stattfindet, eine Annäherung beginnt, der "Vaterhunger" der Jungen zum Vorschein kommt und anteilig "gestillt" werden kann.

9) Ein Weg für Männer wäre sicherlich, die Auseinandersetzung mit der eigenen Männlichkeit über den Kontakt zum Vater in Gang zu bringen. Das heißt, daß Männer versuchen, die Beziehung zu ihrem eigenen Vater aufzuarbeiten; für sich und mit anderen, um den ideal-phantasierten Vater trauern und versuchen, einen neuen Kontakt ohne Schuldzuweisungen zu ihm aufzubauen, einfach Zeit miteinander zu verbringen ohne feste Ziele und Erwartungen. So ist eine Entspannung und ein tieferes gegenseitiges Verstehen möglich. Ein wesentlicher Effekt könnte hier sein, die eigenen männlichen Wurzeln wieder mehr zu spüren und nicht ein Leben lang vom Vater und somit von einem Teil der Männlichkeit abgetrennt zu sein.

In Punkt 3) ist schon angeklungen, daß Männer und Frauen eine effektivere Streitkultur brauchen, weil der schwelende Geschlechterkampf in eine Sackgassse geführt hat. Hier zitiere ich abschließend *Nelles*, der von einer schönen Vision schreibt:

"Ich wünsche mir, daß wir alle, Männer wie Frauen, wenigstens anfingen zu begreifen, daß es nicht um besser oder schlechter geht, daß Gleichwertigkeit und Verschiedenheit sich nicht ausschließen; daß die Schuldzuweisungspolitik und die entsetzliche Gleichmacherei der letzten Jahrzehnte sich endlich totlaufen und wir uns mit Würde, Respekt und Freude in unserer Verschiedenheit begegnen würden" [1993, S. 7].

Literaturverzeichnis

Albee, Edward: Wer hat Angst vor Virginia Woolf...? Frankfurt a. M. 1990 (1963)

Amendt, Gerhard: Der neue Klapperstorch. Die psychischen und sozialen Folgen der Reproduktionsmedizin. Herbstein, 1986

Amendt, Gerhard: Wie Söhne ihre Mütter sehen. In: Bundeszentrale für gesundheitliche Aufklärung (BZgA)(Hg.): Der Mann im Kinde, Dokumentation/1. Fachkongreß zur sexualpädagogischen Jungenarbeit Februar 1996. Köln 1996a, S. 16-25

Amendt, Gerhard: Genderaspekte im Schüler-Lehrer-Verhältnis. In: Naumann, Britta/GEW: GEW-Frauen, Der Magdeburger Kongreß, Texte zur neuen Koedukationsdebatte, Dokumentation des GEW-Kongresses November 1995, Franfurt a. M. 1996b, S. 75-90

Ax, Detlef: 8 Thesen für die Notwendigkeit von Männerarbeit/Männerbewegung. In: Der Weg der Männer Nr. 13, Frankfurt 1996, S. 16-19 [Kontakt: Der Weg der Männer, c/o Klaus Haas, Hasselstr. 21, 65812 Bad Soden. Ab 1998 nur noch im Internet unter: http://members.aol.com/RheinKlaus/; nach Nr. 16 Anfang 1998 ist keine neue Ausgabe mehr erschienen!]

Ax, Detlef: Diskussion des Patriarchatsbegriffes (anhand von Dissens e.V. - Texten). In: Kritische Männerforschung Nr. 15, Berlin 1998, S. 4-9 [Kontakt: Kritische Männerforschung, c/o Willi Walter, Heckmannufer 6, 10997 Berlin. Index über die Rundbrief-Beiträge auch im Internet unter: http://www.menstudy.de]

Ax, Detlef: Strömungen der Männerforschung / Männerarbeit / Männerbewegung. In: Kritische Männerforschung Nr. 18/19, Berlin 2000, S. 13/14

Beck-Gernsheim, Elisabeth: Auf dem Weg in die postfamiliale Familie. Von der Notgemeinschaft zur Wahlverwandtschaft. In: Politik und Zeitgeschichte B29-30/1994, S. 3-14

Bernard, Cheryl / Schlaffer, Edit: Sagt uns, wo die Väter sind. Reinbek 1991

Bettelheim, Bruno: Die symbolischen Wunden. Pubertätsriten und der Neid der Männer. München 1975 (1954)

Blankenhorn, David: Fatherless America. Confronting our most urgent social problem. New York 1995

Bly, Robert: Eisenhans. Ein Buch über Männer. München 1993 (1990)

Bode, Michael / Wolf, Christian: Still-Leben mit Vater. Zur Abwesenheit von Vätern in der Familie. Reinbek, 1995

Böhm, Karl: Das Leben einiger Inselvölker Neuguineas. Beobachtungen eines Missionars auf den Vulkaninseln Manam, Biem, und Ubrub. St. Augustin 1975

Bosse, Hans: Der fremde Mann. Jugend, Männlichkeit, Macht. Frankfurt a. M. 1994

Bretz, Manfred / Niemeyer, Frank: Private Haushalte gestern und heute. Ein Rückblick auf die vergangenen 150 Jahre. In: Wirtschaft und Statistik 2/1992, S. 73-81

Der Brockhaus in einem Band. Wiesbaden 1985

Bürger, Joachim H.: Mann, bist Du gut! Was Männer den Frauen schon immer sagen wollten. München 1990

Bürger, Joachim H.: Mann, leb' Dich aus. Über das große Vergnügen, ein echter Mann zu bleiben. München 1991

Bürger, Joachim H.: Mann hat es eben. Die Begründung des Maskulinismus. München 1992

Bullinger, Hermann: Vaterlose Verhältnisse. Abschaffung der Väter oder neuer Ethos aktiver Vaterschaft. In: Männerforum (Zeitschrift der Männerarbeit der Evang. Kirche in Deutschland) "Vater-los", Heft Nr. 10/April 1994, S. 8-11 [Kontakt: Arbeitsgemeinschaft der Männerarbeit der EKD, Garde-du-Corps-Str. 7, 34117 Kassel]

Bundesministerium für Familie, Senioren, Frauen und Jugend (Hg.): Gleichberechtigung von Frauen und Männern: Wirklichkeit und Einstellungen in der Bevölkerung. Stuttgart, Berlin, Köln 1996

Bundesministerium für Familie, Senioren, Frauen und Jugend (Hg): Kinder- und Jugendhilfegesetz. Achtes Buch Sozialhilfegesetzbuch. Essen 1997

Burkart, Günter: Zum Strukturwandel der Familie. Mythen und Fakten. In: Politik und Zeitgeschichte B52-53/1995, S. 3-15

Butler, Judith: Das Unbehagen der Geschlechter. Frankfurt a. M. 1991 (1990)

Corneau, Guy: Abwesende Väter - verlorene Söhne. Suche nach der männlichen Identität. Olten 1993

Di Fusco, Sergio: Der wilde Mann und die devote Frau. Randbemerkungen über ein oder zwei umstrittene Bücher. In: Rundbrief antisexistischer Männer, Nr. 14, Berlin 1992, S. 31-35 [Kontakt: Moritz-Archiv, c/o Georg Paaßen, Borbecker Platz 3, 45355 Essen]

Dieckmann, Dorothea: Mutterland. Macht und Angst der Mütter. In: Pro Familia (Zeitschrift für Sexualpädagogik und Familienplanung): "Patchwork-Familien", Heft Nr. 1/1998, S. 11-12 [Kontakt: Psychosozial-Verlag, Friedrichstr. 35, 35392 Gießen]

Dworkin, Andrea: Pornographie. Männer beherrschen Frauen. Köln 1987 (1979)

Farrell, Warren: Mythos Männermacht. Frankfurt a. M. 1995 (1993)

Figdor, Helmuth: Kinder aus geschiedenen Ehen: Zwischen Trauma und Hoffnung. Mainz 1994 (1991)

Fthenakis, Wassilios: Väter. Band 1: Zur Psychologie der Vater-Kind-Beziehung. München, Wien und Baltimore 1985

Fthenakis, Wassilios: Väter. Band 2: Zur Vater-Kind-Beziehung in verschiedenen Familienstrukturen. München, Wien und Baltimore 1985

Gerlach, Alf: Kastrationsangst und oraler Neid im Geschlechterverhältnis. Analytisches Arbeiten mit einer ethnologischen Beobachtung. In: Psyche, 49. Jahrgang, Bd. 2 9/10 1995, S. 965-988

Goldberg, Herb: Man(n) bleibt Mann. Möglichkeiten und Grenzen der Veränderung. Reinbek 1987 (1979)

Goldschmidt, Susanne: Männer und Gesundheit - Epidemiologische Daten im Überblick. In: Brandes, Holger / Bullinger, Hermann (Hg.): Handbuch Männerarbeit. Weinheim 1996, S. 59-73

Greenson, Ralph R.: Psychoanalytische Erkundungen. Stuttgart 1982 (1978)

Harten, Hans-Christian: Sexualität, Mißbrauch, Gewalt. Opladen 1995

Heiliger, Anita: Alleinerziehen als Befreiung. Mutter-Kind-Familien als positive Sozialisationsform und gesellschaftliche Chance. Pfaffenweiler 1993

Heinsohn, Gunnar / Knieper, Rolf: Theorie des Familienrechts. Geschlechts- rollenaufhebung, Kindesvernachlässigung, Geburtenrückgang. Frankfurt a. M. 1974

Heinsohn, Gunnar / Knieper, Rolf / Steiger, Otto: Menschenproduktion. Allgemeine Bevölkerungstheorie der Neuzeit. Frankfurt a. M. 1979

Heinsohn, Gunnar: Warum Ausschwitz? Reinbek 1995

Herrmann, Horst: Die Angst der Männer vor den Frauen. Hamburg 1989

Hirschauer, Stefan: Die soziale Konstruktion der Transsexualität. Über Medizin und den Geschlechterwechsel. Frankfurt 1993

Höhn, Charlotte: Demographische Trends in Europa seit dem 2. Weltkrieg. In: Nave-Herz, Rosemarie / Markefka, Manfred (Hg.): Handbuch der Familien- und Jugendforschung. Bd. 1: Familienforschung. Neuwied u. Frankfurt 1989, S. 195-209

Hofer, Markus: Jodie Fosters Samenwahl. Kinder brauchen nicht nur Spermien. In: Paps - Zeitschrift für Väter, 4. Jahrgang, Heft Nr. 2/1998, S. 5 [Kontakt: Paps, Altenbergstr. 17, 70180 Stuttgart]

Hoffmann, Berno: Männlichkeit in der zweiten Moderne. Zur Theorie reflexiver Modernisierung. In: Widersprüche, Schwerpunktheft "Multioptionale Männlichkeiten", Nr. 67/1998, S. 27-43 [Kontakt: Sozialistisches Büro, "Widersprüche", Postfach 10 20 62, 63020 Offenbach]

Hollstein, Walter: Die Männer - vorwärts oder zurück? Stuttgart 1990

Hollstein, Walter: Männlichkeit als soziales und praktisches Problem. In: Jung, Mathias (Hg.): Männer lassen Federn. Unbelehrbar oder im Aufbruch?. Reinbek 1992, S. 30-55

Jellouscheck, Hans: Mit dem Beruf verheiratet. Von der Kunst ein erfolgreicher Mann, Familienvater und Liebhaber zu sein. Stuttgart u. Zürich 1996a

Jellouscheck, Hans: Vom Fischer und seiner Frau. Wie man besser mit den Wünschen seiner Frau umgeht. Stuttgart u. Zürich 1996b

Kempf, Wolfgang: Das Innere des Äußeren. Ritual, Macht und historische Praxis bei den Ngaing in Papua Neuguinea. Berlin 1996

Lautmann, Rüdiger: Konstruktionismus und Sexualwissenschaft. In: Zeitschrift für Sexualforschung Heft 3, S. 219-244, Stuttgart 1992

Lautmann, Rüdiger: Die Lust am Kind. Portrait des Pädophilen. Hamburg 1994

Lempert, Joachim / Oelemann, Burkhard: ... dann habe ich zugeschlagen. Gewalt gegen Frauen - Auswege aus einem fatalen Kreislauf. München 1998 (1995)

Lenz, Hans-Joachim: Männer als Opfer von Gewalt und Mißhandlung. In: Brandes, Holger / Bullinger, Hermann (Hg.): Handbuch Männerarbeit. Weinheim 1996, S. 281-291
Lenzen, Dieter: Vaterschaft. Vom Patriarchat zur Alimentation. Reinbek 1991

Lenzen, Dieter: Zur Kulturgeschichte der Vaterschaft. In: Erhart, Walter / Herrmann, Britta (Hg.): Wann ist der Mann ein Mann? Zur Geschichte der Männlichkeit. Stuttgart u. Weimar 1997, S. 87-113

Männerrundbrief für Gleichberechtigung u. Menschlichkeit. [Kontakt: Männerrundbrief c/o Hartmut Völp, Peiffersweg 3, 22307 Hamburg - nach Nr. 14 im Sept. 1996 ist keine neue Ausgabe mehr erschienen!]

Männerforschungskolloqium Tübingen: Die patriarchale Dividende - Profit ohne Ende? Erläuterungen zu Bob Connells Konzept der hegemonialen Männlichkeit. In: Widersprüche Nr. 56/57, September 1995, Schwerpunktheft "Männlichkeiten", S. 47-61

Maihofer, Andrea: Geschlecht als Existenzweise. Frankfurt a. M. 1995

Matussek, Matthias: Die vaterlose Gesellschaft. Überfällige Anmerkungen zum Geschlechterkampf. Reinbek 1998

Meade, Michael: Die Männer und das Wasser des Lebens. Wege zur wahren Männlichkeit. München 1996 (1993)

Mies, Maria: Patriarchat und Kapital. Frauen in der internationalen Arbeitsteilung. Zürich 1992 (1988)

Mitscherlich, Alexander: Auf dem Weg in die vaterlose Gesellschaft. München 1969 (1963)

Mitterauer, Michael: Entwicklungstrends der Familie in der europäischen Neuzeit. In: Nave-Herz, Rosemarie / Markefka, Manfred (Hg.): Handbuch der Familien- und Jugendforschung. Bd. 1: Familienforschung. Neuwied u. Frankfurt 1989, S. 179-194

Monnick, Eugene: Die Wurzeln der Männlichkeit. Der Phallus in Psychologie und Mythologie. München 1990 (1987)

Moore, Robert: König, Krieger, Magier, Liebhaber. Die Stärken des Mannes. München 1992

Nelles, Wilfried: Der Schlüssel liegt bei der Frau. In: Connection Specialheft "Männer", Nr. 1/1993, S. 6-11 [Kontakt: Connection Medien GmbH, Hauptstr. 5, 84494 Niedertaufkirchen]

Ntetem, Marc: Die negro-afrikanische Stammesinitiation. Münsterschwarzach 1983

Parpat, Joachim: Die Angst des Mannes vor dem Mann. Aus der Praxis der Männergruppenarbeit. In: Jung, Mathias (Hg.): Männer lassen Federn. Unbelehrbar oder im Aufbruch?. Reinbek 1992, S. 132-142

Petri, Horst: Guter Vater - böser Vater. Psychologie der männlichen Identität. Bern, München und Wien 1997

Peukert, Will-Erich: Geheimkulte. Heidelberg 1951

Pilgrim, Volker Elis: Der Untergang des Mannes. Reinbek 1987 (1973)

Pilgrim, Volker Elis: Manifest für den freien Mann (Teil 1: 1977 u. Teil 2: 1983). Reinbek 1983

Pohle-Hauß, Heidi: Väter und Kinder. Zur Psychologie der Vater-Kind-Beziehung. Frankfurt a. M. 1977

Pusch, Luise F.: Alle Menschen werden Schwestern. Frankfurt a. M. 1990

Rebstock, Dietrich: Große Männer, kleine Männer. Zum Funktionswandel des Vaterseins und die Bedeutung des Vaters für den Sohn. Schwäbisch Gmünd u. Tübingen 1993

Rottleuthner-Lutter, Margret: Ehescheidung. In: Nave-Herz, Rosemarie / Markefka, Manfred (Hg.): Handbuch der Familien- und Jugendforschung. Bd.1: Familienforschung. Neuwied u. Frankfurt 1989, S. 607-623

Rünzler, Dieter: Vater-sein. Veränderungen im mitteleuropäischen Vaterbild von der Neuzeit bis zur Gegenwart. In: Vavra, Elisabeth (Hg.): Familie, Ideal und Realität. Niederösterreichische Landesausstellung 1993. Horn 1993, S. 22-31

Scharwiess, Susan: Wo waren die Väter eigentlich? In: Michelsen, Herma (Hg.): Über Väter. Skizzen einer wichtigen Beziehung. Mainz 1995, S. 142-148

Schenk, Gottfried: Männer als Opfer. Zwischen Ignoranz Bagatellisierung und Selbstüberwindung. In: Moritz. Zeitschrift für Männer in Bewegung. Heft Nr. 31, 1/1997, S. 15-25 [Kontakt: Moritz-Archiv, c/o Georg Paaßen, Borbecker Platz 3, 45355 Essen, Nr. 32/33 Ende 1997 war die letzte Ausgabe! Die Zeitschrift wurde unter dem Titel "Moritz II", bzw. "äM" drei Ausgaben weitergeführt. Kontakt: "äM" c/o Karl-Heinz Michels, Fürstenfelder Str. 3, 86316 Friedberg]

Schinko, Bali H.: Wilde Männer. Wurzeln und Flügel, Interview mit John Bellicchi. In: Connection Special "Das Beste aus 7 Jahren Connection Monatshefte - Spiritualität und Lebenskunst", Heft 4/1991, S. 83-88 [Kontakt: Connection Medien GmbH, Hauptstr. 5, 84494 Niedertaufkirchen]

Schmid, Jürg / Kocher-Schmid, Christin: Söhne des Krokodils. Ethnologisches Seminar der Universität und Museum der Völkerkunde - Baseler Beiträge zur Ethnologie Bd. 36. Basel 1992

Schnack, Dieter / Neutzling, Rainer: Kleine Helden in Not. Jungen auf der Suche nach Männlichkeit. Reinbek 1994 (1990)

Schnack, Dieter / Neutzling, Rainer: Die Prinzenrolle. Über die männliche Sexualität. Reinbek 1996 (1993)

Selbsthilfegruppe "Männer und Scheidung": Flugblatt "Kinder brauchen beide Eltern". Stade Oktober 1998 [Kontakt: Selbsthilfegruppe..., Postfach 2244, 21662 Stade]

Der Spiegel / Matussek, Matthias: Der entsorgte Vater. Über feministische Muttermacht und Kinder als Trümpfe im Geschlechterkampf. In: Der Spiegel, Heft 47/1997, S. 90-107

Stechhammer, Brigitte: Der Vater als Interaktionspartner des Kindes. Frankfurt a. M. 1981

Stern, Felix: Und wer befreit die Männer? Frankfurt a. M. u. Berlin 1991

Strobl, Ingrid: Die Angst vor den Frösteln der Freiheit. In: Drei zu eins: Texte. Berlin u. Amsterdam 1993

Die tageszeitung(taz) / Dribbusch, Barbara: An den Vätern führt kein Weg vorbei. taz vom 25.9.1997, S. 3

Theweleit, Klaus: Männerphantasien I und II. Reinbek 1980 (1977 u. 1978)

Van den Boogaart, Thomas: Das Heim als Refugium. Wandlungen des Vaterbildes. In: Museumspädagogischer Dienst Hamburg (Hg.): Männersache. Bilder, Welten, Objekte. Reinbek 1987, S. 84-99

Von Quillfeld, Ulf: Eine Neubewertung der Rolle der Väter? Die Neuregelungen im Kindschaftsrecht vom 1. Juli 1998. In: Männernetzwerk. Informationen und Impulse zur Männerarbeit in der Diözese Rottenburg-Stuttgart. "Vaterlose Gesellschaft?", Heft 2/98, S. 10-13 [Kontakt: Referat Erwachsenenpastoral und Erwachsenenbildung der Diözese Rottenburg-Stuttgart, Fachbereich Männer, Postfach 70 01 37, 70571 Stuttgart]

Weiß, Peter: Abschied von den Eltern. Frankfurt a. M. 1985 (1964)

Wieck, Wilfried: Männer lassen lieben. Die Sucht nach der Frau. Stuttgart 1990 (1987)

Wiedemann, Hans-Georg: Nachdenken über Männer. In: Jung, Mathias (Hg.): Männer lassen Federn. Unbelehrbar oder im Aufbruch? Reinbek 1992, S. 74-82

Die Woche / Garms, Thomas u. Thorbrietz, Petra: Männer leben kürzer. Karriere, Konkurrenz, Kollaps. Die Woche vom 31.7.1998, S. 1 u. 26/27

Ziehlke, Brigitte: "Fehlgeleitete Machos" und "früreife Lolitas" - Geschlechtstypische Unterschiede der Jugenddevianz. In: Tillmann, Klaus-Jürgen (Hg.): Jugend weiblich - Jugend männlich. Opladen 1992, S. 28-47

www.ingramcontent.com/pod-product-compliance
Lightning Source LLC
Chambersburg PA
CBHW050504080326
40788CB00001B/3993